VERY IMPORTANT PUBER

EEN FOUTE VRIEND

Very Important Puber
Een foute vriend
Merlien Welzijn

Spannend jeugdboek vanaf 12 jaar

ISBN 9789461850416
ISBN 9789461850553 ebook

1e druk juli 2013
Vormgeving: Moirena Schoonbergen, Marleen Rikkengaa
Coverillustratie: Emma Wilson
Redactie: Marleen Rikkengaa

Uitgeverij Village is een imprint van
Uitgeverij VanDorp Educatief
Postbus 42
3956 ZR LEERSUM
Tel. 0343 469972
info@vandorp.net / www.vandorp.net

Merlien Welzijn

VERY IMPORTANT PUBER

EEN FOUTE VRIEND

UITGEVERIJ VILLAGE

Met dank aan Isabelle Miltenburg, Samed Atmaca,
Bora Olieook, Damini Parag, Justin Gelens, Jennifer Liu,
Arda Arikan, Floor Verduin, Haydia Babel,
Malcolm Babel, Marit van der Hoeven, Sabahat Halimi,
Sjaak Koster (agent) en Madelon Kirkels voor
het aandragen van informatie voor VIP4.

INHOUDSOPGAVE

BFF'S EN BLOEDBROEDERS

Terwijl Hugo en Isabelle elkaar diep in de ogen keken en over Super Mario Bros spraken keek Laura ietwat verveeld om zich heen. Hugo was eerst naast haar komen zitten maar vond haar vriendin toch leuker. Hoewel Laura zelf ook meer interesse voor Timo had vond ze het toch niet leuk dat Hugo haar tegenover al hun vrienden had ingewisseld voor Isabelle. Terence zat nu naast haar. Hij zat erg dichtbij. Het irriteerde haar een beetje, maar ze zei niks. Hij hoorde immers ook bij het vriendengroepje. Daar zat ze dan. Was dit de afspraak waar ze zo naar uit had gekeken? Ze zocht om zich heen naar Robert en Anna. Die zaten in een innige omhelzing en keken over elkaars schouders naar de vrienden die ze in een paar weken tijd om zich heen verzameld hadden. Robert knipoogde naar Timo. Alleen zij wisten wat die knipoog precies betekende. Zelfs Anna wist nergens van.

Timo was als laatste binnengekomen en had iedereen een boks gegeven. Ook de dames. Behalve Laura. Timo hield haar kin in zijn handpalm en zei dat hij haar erg mooi vond. Laura's gezicht ontving dit compliment met een stralende glimlach. Een echte. Niet zo één die ze wel eens voor de spiegel oefende: haar fotomodellen lach. "Volgens mij wil ze dat ik naast haar zit." Timo keek Terence dwingend aan. Robert veerde op. Terence keek namelijk alsof hij niet van plan was om op te staan. Ze hadden met elkaar afgesproken om te chillen en te gamen. Hugo en Terence kenden Timo nog niet. Dit was hun eerste kennismaking. Robert had zich van te voren lichtjes zorgen gemaakt om de combinatie Terence en Timo. Even leek het erop dat die zorg terecht was.

Ze zaten bij Terence thuis. Timo snapte heel goed dat hij te gast was. Hij was niet uit op ruzie. "Gaaf huis," merkte hij op. "Tof dat je mij ook heb uitgenodigd." Terence lachte bedachtzaam, maar stond niet op. Hij had nog nooit verkering gehad en was er wel aan toe. Hij wilde zijn eerste verovering niet zomaar opgeven. Laura was zich er totaal niet van bewust dat Terence haar zo zag. Ze stond op en zette een stap in Timo's richting. "Waar zullen we gaan zitten, dan?" vroeg ze. Timo keek Terence zo vriendelijk mogelijk aan en trok zijn wenkbrauwen in onschuld op. Hij had geen kwaad in de zin, maar de situatie was duidelijk voor hem. Hij hoopte dat Terence het ook snapte.

Terence probeerde zijn teleurstelling te verbergen en stond op. "Jullie kunnen hier wel zitten, hoor." Ietwat verbolgen voegde hij eraan toe: "als iedereen uitgezoend is, dan hoor ik het wel. We zijn hier toch om te gamen?" Hij keek Anna aan en hoopte op wat bijval. Om de situatie voor Terence te redden beaamde ze zijn oproep. “Ja, wat dacht je dan! Cool dat jij ook een 107 centimeter scherm hebt.” “Ik dacht eerst dat ik ‘m niet zou krijgen, terwijl ik iedereen er al over verteld had. Maar mijn pa was wel blij met mijn eerste rapport, dus toen kreeg ik ‘m toch.” Terence groeide terwijl hij over zijn mooiste bezit vertelde. Robert stond op en klopte hem amicaal op zijn schouder. “Cool, man. Echt vet gewoon.” Roberts gedachten gingen terug naar de basisschool. Hij zag Terence als jong ettertje voor zich. In die tijd was hij best een beetje bang voor Terence. Hij was ongeremd en deed anderen vaak pijn met zijn onbezonnen manier van doen. Robert was vaak de klos. Sinds Terence medicijnen had voor zijn ADHD was hij veel rustiger geworden. Robert had nooit gedacht dat hij vrienden met Terence zou worden, maar hij was blij dat het zo was.

Misschien kon hij eens aan Terence vragen hoe alles bij hem gegaan was. Robert bezocht sinds kort een psycholoog omdat hij vaak last had van boosheid en spanningsklachten. Hij was vaak in gedachten en erg snel afgeleid. Leren koste hem aardig wat energie. Het ging wel, maar het vroeg veel van hem. Robert bekeek Terence eens goed. Hij was altijd al wat groter dan anderen geweest. Roberts blik volgde Terence’s broekspijpen omlaag naar zijn schoenen. “Nog steeds maatje kano,” grapte Robert in zichzelf. Terwijl Terence met Robert en Anna de verdere bijzonderheden van zijn nieuwe scherm doornam, deed hij zijn best om niet telkens naar Timo en Laura te kijken.

Overal waar hij keek zag hij zijn vrienden in stelletjes bij elkaar zitten. Anna zag dat Terence het lastig vond. Zij had Robert. Hugo zat volop met Isabelle te flirten en Timo en Laura zaten elkaar verliefd aan te kijken. "Volgens mij missen we nog iemand in ons groepje," merkte ze op en keek Terence vriendelijk aan. "Komt wel goed hoor," zei ze. "Straks hebben we allemaal verkering." Terence's ogen lichtten even op. "Oh, met wie heb ik dan verkering?" Anna lachte. Robert keek haar vragend aan. "Ik weet niet wat je van plan bent," glimlachte hij, "maar ik bemoei me er niet mee. *Let's play game*!" riep hij uit. Iedereen keek op. Nu waren ze bezig met teams maken en beurten bepalen. Timo offerde zich vrijwillig op om als laatste aan de beurt te zijn. Zo kon hij Laura beter leren kennen.

Omdat Robert met Timo over Patrick wilde praten wilde hij eigenlijk ook als laatste. Maar, hij zat natuurlijk in een team met Anna. Als hij had geweten dat Anna eigenlijk dolgraag polshoogte bij Laura wilde nemen, hadden ze gemakkelijk kunnen ruilen. Ze vond het wel een beetje onwennig dat haar ex met haar beste vriendin zou gaan. Hugo vond ze veel beter bij Laura passen, maar het was anders gelopen. Ze hoopte ook dat Timo niet over haar met Laura zou praten. Dat was

Anna's grootste zorg. Ze besprak alles met Laura. Daar lag het niet aan. Alleen had Anna nog niet aan Laura kunnen vertellen dat Timo haar ex was. Ze lette niet goed op tijdens hun spel, tot grote ergernis van Robert. Die was van plan om eerste te worden en wilde graag winnen. Hij gooide zijn lust en leven in het spel en kartte alsof hij er echt iets mee kon winnen.

De afgelopen week was er veel gebeurd, dus hij wilde even lekker zijn energie kwijt in het spel. Hugo en Isabelle zagen hun kans schoon om de eerste ronde te winnen. Terence had de rol van verslaggever op zich genomen en deed dat met veel handgebaren, en af en toe overslaande stem. Hij had, net als Timo de baard in de keel. Robert vroeg aan Anna of er iets was. "Ja, nee, ik... Nou, ik moet eigenlijk even dringend iets aan Laura vertellen." Robert keek naar Laura. Die was helemaal verdwenen in de verliefde blik van Timo. "Ik denk dat ze het nu te druk heeft," beweerde hij en vond het eigenlijk wel leuk dat Laura even geen tijd voor Anna had. Ze had zijn vriendin de afgelopen week wel genoeg ingepikt, vond hij. Anna liet het onderwerp los. Er zou die middag vast nog voldoende gelegenheid zijn om haar beste vriendin uit te horen. "Zo!" kondigde ze aan, "vanaf nu zijn jullie kansloos." Ze keek Hugo en Isabelle grimmig aan. "Oh, oh," vreesde Hugo. Voor Isabelle was het spel nieuw. Ze had het wel vlot onder de knie, maar ze was zich totaal onbewust van Anna's kwaliteiten. Die liet Anna op haar beurt in volle glorie zien. Robert klopte zijn vriendin meermalen op haar dijen. Nu speelden ze weer samen de sterren van de hemel. Terence bewonderde Anna. Hij vond het extra cool dat ze een meisje was, terwijl ze gamede als een stoere gast. "Jij bent de bom!" complimenteerde hij haar. Vanuit zijn ooghoek zag hij dat Timo's gezicht heel dicht bij dat van Laura was. Laura zat als een slappe vaatdoek op de bank. Ze kon alleen maar staren en giechelen, leek het. Terence draaide zich om en bepaalde dat het tijd voor popcorn was.

Robert schilderde hun overwinning in alle geuren en kleuren en vroeg of Timo iets had meegekregen van de oorlog die op het scherm gewoed had. Timo begreep dat zijn nieuwe vriend hem bij de groep wilde betrekken en weekte zich van Laura los. Al gauw zaten ze om de bijzettafel heen, waarop lekkers lag. "Eigenlijk wel grappig zo, hè," merkte Anna op. Hugo reageerde als eerste. "Duidelijk verhaal. De vorige keren was het al vet gezellig, maar zo is het nog vetter." Hij keek Isabelle aan. "Hebben jullie nu een date?" wilde Laura weten. Ze probeerde het geïnteresseerd te laten klinken, maar het had toch meer iets weg van een verwijt. Robert merkte het op. "Jij hebt nu toch een date met Timo?" Ze begon te giechelen en keek hem verlegen aan. "Volgens mij wel. Toch?" vroeg ze een tikkeltje onzeker aan Timo. "Ik weet zeker van wel," antwoordde hij. "Zullen we ook een keer samen naar de film gaan. Dan hebben we een dubbeldate." "Een trippeldate, zal je bedoelen," merkte Hugo op. Terence viel stil. Anna vond het ergens gemeen van Laura om dit te vragen. Terence had nog niemand. En, ze zaten wel mooi in zijn huis.

Terence stond op en liep richting de keuken. Er werd druk overlegd welke films leuk zouden zijn. Timo verraste iedereen door op te biechten dat hij wel van romantische komedies houdt. "Dat meen je niet," brieste Hugo. "Gast, ik had gedacht dat jij wel van de acties en thrillers was." "Tuurlijk," wierp Timo tegen. "Maar als je verkering hebt, dan moet je je zachte kant laten zien." Hij pakte Laura's hand en keek haar lief aan. "Zo, jij bent echt goed," vond Hugo. Zelf was hij ook vrij populair. Hij had altijd wel verkering en dacht exact te weten hoe alles rondom meisjes ging. Maar, hij had al snel door dat hij van Timo misschien nog wel wat zou kunnen leren. "Hoe versier jij eigenlijk meisjes?" vroeg Hugo. "Je kunt me alleen maar vragen hoe ik Laura heb versierd. Over andere meisjes praat ik niet. Die zijn niet meer belangrijk." Anna voelde een steek in haar buik. Ze was wel blij om te horen dat Timo kennelijk niet van plan was om het met Laura over haar te hebben. Maar, om 'niet belangrijk' genoemd te worden vond ze toch wel pijnlijk. Ze besloot Terence op te zoeken. Die was nog steeds niet terug uit de keuken.

Terence schrok op toen hij Anna's stem hoorde vragen of ze ergens mee kon helpen. Terence voelde zich betrapt en had geen snelle smoes bij de hand. Hij stond gewoon wat voor zich uit te mokken. "Vind je het lastig dat iedereen zit te klitten terwijl jij alleen bent?" vroeg ze recht op de man af. "Nou, het kan me niet zoveel schelen." Anna legde haar hand op zijn schouder. "Je hoeft niet stoer te doen, hoor." Terence keek naar haar hand. Ze had hem voor het eerst aangeraakt. Dat vond hij cool. Anna trok haar hand terug. "Ik vond die Laura wel leuk, maar ja, zij ziet Timo zitten. Dus, ja..." Anna keek schichtig over haar schouder. "Wees blij," fluisterde ze. "Ze is nu mijn beste vriendin, maar ze is soms ook best wel gemeen hoor." Terence begreep Anna's opmerking niet. "Hè, waarom zeg je dit? Probeer je me te troosten? Ik bedoel, ik ben verder niet verdrietig. Je hoeft niks naars over haar te zeggen. Maar, wel lief dat je een vriendin bent." Terence leek helemaal opgebeurd. Anna ontdekte dat ze niet kon samenzweren met Terence. Ze snapte ook niet helemaal waarom ze iets gemeens over Laura had gezegd. Zat het haar dan zo dwars dat ze nu met Timo ging?

"Nou, ik ken iemand waarvan ik zeker weet dat ze jou leuk gaat vinden." Terence lachte breed. "Wie dan?" wilde hij weten. "Nou, dat kan ik nu nog niet zeggen, maar ik laat het wel weten. Maar dan wel via What's app. Heb je een smartphone?" Terence zei van niet. "Nog niet, maar als mijn tweede rapport goed is dan krijg ik er wel één." Anna loste dit probleem op door hem te beloven een direct message via Twitter te sturen. "Je hebt toch een pc?" Terence knikte. Het vooruitzicht van een *blind date* vond Terence wel spannend. Anna had nog geen idee wie ze aan Terence zou kunnen koppelen. Ze had behalve Laura en Isabelle helemaal geen vriendinnen. Maar ze hoopte dat Laura bereid zou zijn om te helpen.

Toen ze samen terug naar de woonkamer liepen vielen ze midden in een heel andere battle dan die ze met hun games speelden. Timo en Hugo waren begonnen met het uitwisselen van zinnetjes waarmee ze meiden versierden. "Mag ik het label van jouw blouse zien, want ik weet zeker dat er op staat *made in heaven,*" gooide Hugo in de groep. Timo lachte. "Nou volgens mij versier je alleen maar meisjes met één arm en één been met dat soort zinnetjes." Isabelle opperde dat ze het juist heel romantisch vond. "Ja, jij zegt dat gewoon omdat hij je vriendje is," galmde Robert. Iedereen keek Timo aan. Hij kon zeggen wat hij wou over Hugo's zinnetje, maar nu moest hij zelf een goede versiertruc in de groep gooien. Timo voelde de druk, maar deed zich kalm voor. Hij viel op een knie en keek Laura zwoel aan. "Ja, ik wil." Toen stond hij op, legde Laura over zijn arm achterover en trok haar weer omhoog. “Wow! Net een scène uit die ene dansfilm. Cool, man!” Robert pakte Anna, die net aan kwam lopen, om haar middel en probeerde hetzelfde. Het lukte niet helemaal, waardoor ze samen op de grond lagen met een schaal popcorn over zich heen. Iedereen begon hard te lachen. “Ja, jongen, je zult moeten trainen.” Timo gaf Robert een hand en trok hem op. Plagend kneep hij in zijn biceps. “Dat kan anders,” grinnikte hij. Robert keek naar zijn eigen armen en toen naar die van Timo. “Ik zie denk ik wel wat je bedoelt.” Robert wreef pijnlijk over zijn heup.

Anna stond al als eerste en had zich gauw richting Laura bewogen. “Gaat het?” lachte ze breed. “Ja, niks aan de hand.” Anna lachte ook. “Wat is hij leuk hè.” Laura keek zwijmelend naar Timo. “En, hij is echt sterk, man. Zag je wat hij deed?” Anna probeerde te glimlachen en zei maar niet dat Timo dat ook zo vaak bij haar had gedaan. “Had ik je al verteld dat hij mijn ex is?” Ze keek haar vriendin strak in de ogen. “Nee, dat méén je niet.” Laura knipperde met haar ogen. Anna wilde niet dat Laura haar ontboezeming meteen zou gaan verifiëren bij Timo waar iedereen bij was. “Sssst,” dwong ze. “Ik wilde het nog zeggen zodat je het van mij hoorde en niet van hem.” Laura kneep haar ogen samen. “Hij zei net nog dat hij alle meisjes vóór mij niet belangrijk vindt. Daar zal hij jou toch niet mee bedoelen?” Laura gooide haar haren naar achteren en plantte haar handpalmen in haar zij. Anna zag in de ogen van haar vriendin, dat als ze zou moeten kiezen tussen haar nieuwe vriendje en haar nieuwe beste vriendin, de keuze snel gemaakt was.

Anna had Laura in ieder geval nog nodig om een vriendin voor Terence te vinden. En, ze wilde verder ook geen ruzie. De afgelopen tijd met Laura was het erg leuk. "Laat maar. We gaan toch geen ruzie maken om één of andere jongen. BFF's?" Anna opende haar armen. Laura weifelde heel even en stapte toen toch in de omhelzing van Anna. "Ga je nou al vreemd?" lachte Timo. Het hele stel begon te lachen. Hugo vond het leuk om een vriend te hebben die net als hij ook goed was in rake opmerkingen plaatsen. Meestal had Hugo de lachers op zijn hand. Die moest hij nu met Timo delen.

Terence luisterde aandachtig naar de versiertruc battle. Binnenkort zou hij zelf ook wat zinnen nodig hebben. "Maar, Timo, als je een meisje voor het eerst ziet, kun je toch niet meteen al op je knieën gaan?" Terence probeerde zich in te beelden dat de truc bij hem zou werken maar kon zich er geen voorstelling van maken. Hugo schoot zijn makker te hulp en zei: "Kijk, dit soort acties zijn meer voor gevorderden. Dan moet je echt al veel zelfvertrouwen hebben. Als je pas begint kun je beter andere zinnetjes gebruiken." Terence wist dat Hugo het niet gemeen bedoelde, hoewel het misschien wel een beetje zo klonk. Hugo was gewoon niet tactisch. Die floepte er altijd alles uit en bood trouwens nooit ergens zijn excuses voor aan.

Terence wilde weten wat voor zinnetjes Hugo bedoelde. “Binnenkort heb ik een *blind date,*” glom hij. Anna keek hem bemoedigend aan. “Met wie dan?” wilde Hugo weten. “Dat weet ik niet, anders was het toch geen *blind date.*” Iedereen lachte weer. Hugo trok zijn wenkbrauwen op. Dit was hem nog niet eerder overkomen. Meestal was hij van de rake opmerkingen. “Tjonge, hij heeft binnenkort een date en laat zijn beste vriend nu al vallen,” merkte hij quasi zuur op. Terence gaf hem een boks. “Bloedbroeders, gast. Bloedbroeders.” De jongens keken ernstig en knikten serieus. Robert keek onwillekeurig naar Timo. Vroeger was Hugo zijn beste vriend. Nu werd Timo dat. Het leek hem wel cool om ook iemand te hebben die je ‘bloedbroeder’ kunt noemen. Het klonk interessant. Beter dan BFF vond hij. Dat vond hij meer een meisjeswoord.

“Nou bijvoorbeeld ‘ik moet je waarschuwen, want ik ben een dief en ik ben hier om jouw hart te stelen’,” Hugo keek triomfantelijk. Ik kan je uit ervaring vertellen dat dit een goede is. Timo knikte. Het deed Hugo goed om te zien dat ze nu niet meer battelden. Hij zou het toch verliezen van Timo. Nu trokken ze samen op om Terence te helpen. “Of deze,” begon Timo “Als jouw hart een gevangenis is, dan wil ik levenslang." Robert genoot mee van de versierzinnen van zijn makkers. Zelf had hij ze nooit gebruikt. Zijn gedachten vlogen terug naar de eerste ontmoeting met Anna. Dat was niet bepaald romantisch te noemen. Ze was zelfs gemeen. Hij groef in zijn gedachten maar kon zich geen versierzinnetjes herinneren. Behalve dat hij haar was tegengekomen en dat ze, voordat hij het door had, bij haar thuis zaten te gamen. Toen kwam het briefje en daarna hun voorletters in de wilg. Het leek al zo enorm lang geleden. Robert wilde opmerken dat versierzinnetjes niet altijd nodig zijn en dat het soms gewoon gebeurt zonder dat je het zelf echt door hebt. Maar, hij wilde de sfeer niet ombuigen met een serieuze opmerking. Iedereen had het naar zijn zin. De game controllers lagen op de bank terwijl er gesprekken gevoerd werden over meisjes versieren en sporten.

Robert wilde van Timo weten hoe hij aan sport deed. Timo vertelde dat hij een sportschool te duur vond en ook geen zin had om wekelijks verplicht in regen en wind op een veld te staan. Hij drukte zich iedere ochtend en iedere avond op. Het verbaasde Robert dat je daar zulke stevige armen van kon krijgen. "Probeer het maar, dan til jij jouw meisje straks ook naar de wolken." Ze wisselde wederom een knipoog uit. Terwijl Hugo Terence nog wat versiertrucs meegaf wendden Robert en Timo zich van het gezelschap af. "Ik heb nog even nagedacht over je weet wel." Robert luisterde aandachtig en fronste licht. “Ja, ik ook,” antwoordde hij. “We kunnen het er nu natuurlijk niet uitgebreid over hebben,” Timo gebaarde zijn hoofd in de richting van hun vrienden. “Ik zei eerder dat we het er maandag na school over konden hebben, maar volgens mij moeten we gewoon dit weekend iets doen. Wat doe je zondag?” Robert vroeg voor de duidelijkheid: “Bedoel je morgen?” Timo knikte. “Ik kan wel naar je toe komen.” Timo keek in de richting van Anna. Robert beantwoordde de vraag die onuitgesproken was. “Anna zie ik in ieder geval morgen ook. Maar ik kan bijvoorbeeld ’s ochtends even naar jou komen. Jij spreekt zelf zeker met Laura af?” Timo schudde zijn hoofd. “Nee, in een relatie moet je niet te gierig zijn.” Robert begreep het niet. Hij wilde het liefst de hele dag met Anna zijn en dat iedere dag weer. Timo zag zijn onbegrip. “Als je elkaar iedere dag ziet, dan wordt het snel saai. Af en toe moet je elkaar ook niet zien. Dan heb je langer verkering. Laura vind ik echt geweldig. Hoe leuk ik haar ook vind. Ik ga haar morgen dus niet zien.” Robert knikte, zonder de logica van Timo’s aanpak te doorgronden. “Oké,” antwoordde hij vaag. Timo smaalde. “Misschien begrijp je het later wel.” Robert keek verbaasd op. “Hahaha, bedoel je, later als ik groot ben.” Timo lachte nu ook. Er viel een stilte. “Hoe laat morgen?” vroeg Timo. “Ik stuur je wel een tweet als ik wakker ben.” De jongens mengden zich weer in het gezelschap. Anna had wel zin om verder te gamen. Ze vond het gesprek best gezellig, maar merkte op dat het toch meer mannenpraat was. *Let's play game!* riep Robert nog eens uit. Ook nu hielp het om het potje Mario Kart door te starten.

Anna pakte na de eerste bocht meteen een vraagteken waar drie levens onder zaten. Hugo loeide jaloers: "Ik had liever een bananenschil gehad." Na een slechte landing en een schildpad tegen haar banden verloor Anna haar voorsprong. Hugo haalde haar in en gniffelde. Zijn voorsprong was van korte duur, want hij kreeg een inktspookje voor zijn kart en raakte daardoor achterop. Iedereen had last van de inkt op het scherm. Robert zag hierdoor de reuzenchampignon niet en botste er tegenaan. Isabelle zag haar kans schoon om de eerste plek te pakken. Terence vroeg zich hardop af hoe dit kon gebeuren. "Als jullie niet uitkijken, gaat Isabelle er met de buit vandoor. Weet je zeker dat je dit niet eerder gespeeld hebt?" vroeg hij. Isabelle bloosde. "Ik doe mijn best," zei ze en keek vlug opzij naar Hugo. "En, ik heb natuurlijk een goede leermeester." Hugo glom en probeerde zijn derde plaats vast te houden. Hij wilde in elk geval niet weer als laatste eindigen. Maar, dat wilden ze geen van allen.

Hugo had nog een schildpad. Vlak voor de finish gooide hij het tegen de kart van Robert die intussen op de tweede positie reed en haalde hem in. Anna vloog echter met een noodgang door de binnenbocht en claimde haar positie. Terence zat met ingehouden adem mee te kijken en viel met een plof op de bank toen Anna als eerste over de finish racete. "Ik wist het!" riep hij uit. Snel gevolgd door "Goed gespeeld, Isabelle." Hugo zuchtte en deed alsof hij zijn controller op wilde eten. "Trouwens, heb je nog wat lekkers in huis?" Hij keek zuur naar zijn controller. Terence begreep de hint. "Chips," antwoordde hij. "Nou, ik hoef niet," liet Timo weten. "Ik let een beetje op mijn *lovehandels*." Hij legde zijn handen op zijn taille. Hugo, die net wilde vragen of Terence ook paprika chips had, slikte zijn woorden in. "Ik denk dat ik dat ook maar eens ga doen. Wat vind jij?" Hij keek Isabelle aan. "Ga eens staan," merkte ze brutaal op. "Ja, zo zie ik het niet."

Ze onderwierp haar nieuwe vriendje aan een kritische blik. Toen stond ze op en riep Anna en Laura bij elkaar. Ze stonden met hun ruggen naar de jongens. Anna begreep dat Isabelle een grapje wilde uithalen. Laura vond het vreemd dat Isabelle zich van haar ondeugende kant wilde laten zien. Dat imago had Laura zelf juist. Ze vroeg zich af of Isabelle zich ineens zo moedig voelde omdat ze nu met Hugo ging. Timo legde zijn hand op zijn hart en keek Hugo zogenaamd bezorgd aan. "Dit ziet er niet goed uit voor je, mijn vriend." Hugo lachte zenuwachtig. Terence en Robert wisselden ook gespannen blikken uit. Wat waren de meiden van plan? Na wat gefluister gingen de meiden weer zitten en begonnen ineens te praten over wie er nu tegen elkaar zouden gaan racen. “Ehm, contact met aarde,” lachte Hugo. Isabelle draaide zich om en begon te giechelen. Toen begonnen Laura en Anna ook te lachen. Hugo keek nog wat onwennig. Timo schaterde het uit “Ze zitten je gewoon te plagen. Lekker laten gaan.”

Hugo nam er geen genoegen mee en stapte voor het beeld. Hij trok zijn shirt uit en vroeg of het nodig was. Isabelle slikte en keek haar vriendinnen geamuseerd aan. Dat had ze niet verwacht. Robert zag dat Hugo best een breed bovenlichaam had. Veel breder dan dat van hem. Timo zag het meteen “Jij drukt ook op, hè.” Hugo lachte. “wat dacht jij dan. Ik eet niet alleen maar chips.” Timo trok nu ook zijn shirt uit en ging pontificaal naast Hugo staan. Laura begon te joelen. Anna floot tussen haar tanden en Isabelle daagde Terence en Robert uit om ook hun shirt uit te doen. Robert wuifde haar woorden weg. “Nee, man, als ik een maandje bezig ben met dat opdruk verhaal, dan doe ik misschien mee met deze modellenwedstrijd.” Timo liet zijn biceps rollen en Hugo begon als een model heen en weer voor de televisie te lopen. Terence zei: “Ik heb ook broodjes, maar ze moeten alleen nog gebakken worden.” Iedereen lachte hartelijk om zijn zelfspot. Hugo en Timo deden hun shirts weer aan. “En nu jullie!” gilde Terence enthousiast. Hugo legde zijn hand op Terence’s mond. “Gast, jij moet echt nog veel leren.” Anna proestte van het lachen. Die Terence!

Ze klom bij Robert op schoot en gaf hem een kus. Ze besloot dat ze later tegen hem zou zeggen dat het misschien inderdaad geen kwaad kon om iets met sporten te doen. Ze zou het heel stoer gevonden hebben als Robert ook met een mooi bovenlichaam naast Hugo en Timo was gaan staan. Ze was vergeten hoe Timo's lichaam eruit zag. Het was nu eigenlijk nog mooier dan toen. Laura, die wist dat haar vriendje het meeste in de smaak was gevallen qua bovenlichaam zat nu naast Timo en bewonderde diens bovenarmen. Terence gooide zijn armen in de lucht en zei: "Anna, kunnen we die *blind date* niet meteen voor volgend weekend regelen. Dan heb ik voortaan ook wat te knuffelen." Laura wierp hem, zonder te weten dat Anna haar op het oog had om een date voor Terence te regelen, een lauwe blik toe. Ze vond iedereen in hun vriendengroepje leuk, maar Terence begreep het allemaal niet volgens haar. "Wat een Neanderthaler," fluisterde ze tegen Timo.

Hugo stond op, strekte zijn armen naar Terence uit en zei met een hoog stemmetje: "Ik wil je wel knuffelen hoor, lieve schat." Terence barstte bulderend in lachen uit. Hij gaf zijn vriend weer een boks."Bloedbroeders!" riep hij weer uit. "Jij laat me altijd lachen, man." Roberts mondhoeken krulden omhoog. Dat herkende hij. Hugo liet hem vroeger ook altijd lachen. Robert kon er ook waardering voor opbrengen dat Hugo Terence een hart onder de riem stak. "Aan wie ga je hem koppelen," vroeg Robert op fluistertoon aan Anna." Het interesseerde hem om te weten wie Terence leuk zou vinden. Hij was zelf tot de conclusie gekomen dat Terence best een coole gast was, maar Robert had eigenlijk van de aanwezige meiden alleen maar subtiel afkeurende blikken in zijn richting gezien. Meisjes hielden kennelijk niet zo van de manier van doen van Terence.

"Op wat voor meisjes val je eigenlijk?" vroeg Timo. Terence haalde zijn schouders op. "Weet ik veel. Met borsten gewoon." Laura rolde met haar ogen en keek Timo overdreven zuchtend aan. "Dat kan toch niet," fluisterde ze. Hugo lachte. "Elke gezonde jongen houdt van borsten, toch?" Hij keek naar zijn makkers. Isabelle vouwde haar schouders naar voren en trok haar buik in. Ze had nog geen borsten en maakte zich zorgen dat haar verkering met Hugo maar van korte duur zou zijn. Ineens keek ze verdrietig. Niemand merkte het op.

"Hoe laat komen je ouders thuis?" vroeg Timo. "Ik weet het niet." Timo vond dat een stoer antwoord. "Cool man dat je vrienden thuis mag hebben zonder dat je ouders erbij zijn. Bij mij thuis kan het nooit. Mijn oma woont bij ons. Ze is erg ziek." Robert snapte het. "Echt strak dat jullie voor haar zorgen." Timo slikte even. Hij snapte zelf niet helemaal waarom hij het ineens over zijn oma had. Het maakte hem altijd een beetje emotioneel om het over haar te hebben.

Anna dacht snel na. Ze kon nu niet meer zeggen dat het bij haar thuis ook niet kon. Timo wist al dat de vorige rematch bij haar thuis was. Maar, Anna zag het niet zitten om Timo bij haar thuis te hebben. Daarom zei ze. "Als het niet te veel mensen zijn, dan mag het soms wel bij mij thuis." Ze was trots op haar tactische antwoord. Om Laura en Timo op de bank te zien zoenen waar ze zelf met hem had gezoend, dat vond ze een beetje te veel van het goede.

Robert vulde aan dat het bij hem thuis ook mocht, maar dat hij alleen geen 107 centimeter scherm had. "Maar wel onwijs lekkere hapjes," vond Terence. "Ja, Els kan echt hartstikke lekkere dingen maken," beaamde Anna. Iedereen keek Isabelle nu vragend aan. "Bij mij thuis weet ik het niet. Ik heb eigenlijk nog nooit een afspraak met zoveel vrienden bij mij thuis gehad. Behalve met een verjaardag." Timo vroeg hoeveel jaar ze eigenlijk was. "Twaalf," antwoordde ze. "Wow, gewoon drie jaar jonger," merkte hij op. "Vinden je ouders het dan wel goed dat je hier bent, of weten ze het niet?" Isabelle kreeg het een beetje warm. Ze durfde niet in de richting van Hugo te kijken. Nu hij wist dat ze pas twaalf was en geen vrienden over de vloer mocht, zou hij haar misschien wel te kinderachtig vinden. Ze had graag mee willen doen met haar oudere vrienden, maar nu dreigde ze door de mand te vallen.
"Ik houd wel van jongere vrouwen," straalde Hugo. "Wel

spannend om af te spreken. Dan moet ik telkens over mijn schouders kijken of ik geen boze vader met een honkbalknuppel zie." De groep lachte uitbundig. "Hoe komt het dat je nu al op de Touwladder zit?" vroeg Timo. Laura trok het gesprek naar zich toe en zei dat Isabelle erg slim is en een klas heeft overgeslagen op de basisschool. "Man, vandaar dat je dat spel zo gauw door had," riep Terence. "Je bent dus gewoon een soort professor." Laura zuchtte weer. "Dat slaat nergens op," vond ze. Hugo schoof dichter naar Isabelle toe. "Je bent mijn eerste professor vriendin," zei hij. "Hopelijk vind je me niet te dom." Isabelle straalde. Ze vond het fijn dat haar vriendje zo lief reageerde. "Bij mij thuis kan het sowieso," voegde Laura er zelfverzekerd aan toe. "Ik heb alleen geen games, want daar houd ik gewoon niet zo van." Robert maakte de balans op: "Zullen we gewoon elk weekend afspreken? Dat lijkt mij wel leuk." Uit alle hoeken kreeg Robert bijval. "Anna, we moeten echt vaart maken met die *blind date*. De volgende keer wil ik ook iemand onder mijn oksel," klaagde Terence. De aanwezigen keken naar elkaar en zichzelf. Het klopte wat Terence zei. Alle meiden hadden een arm om zich heen. Ze lachten hartelijk.

DIT ZAAKJE STINKT

De volgende ochtend voelde Robert onder zijn kussen naar zijn Blackberry om zich aan zijn afspraak te houden. Hij had immers gezegd dat hij Timo een tweet zou sturen zodra hij wakker was. “Soort van #wakker. Hoe laat bij jou?” twitterde hij. Timo antwoordde direct: “Rond elven. Aanbellen niet nodig. #jeweetzelluf.” Robert wist inderdaad precies wat Timo met die laatste hashtag bedoelde. Timo’s oma werd rond vijf uur ’s nachts meestal wakker. Ze viel dan tegen tien uur weer in slaap. Dat had Timo voordat Laura haar arm in die van hem had gehaakt aan het einde van hun afspraak bij Terence al uitgelegd. Toen Robert kort voor elf uur aan kwam gelopen, ging Timo’s voordeur al open. Binnen rook het nog muf. Het was donker in de woonkamer. De zware gordijnen waren nog hermetisch gesloten. Boven opende Timo de deur naar zijn slaapkamer. “Hier kunnen we rustig praten. Hoe gaat het, gast?” Robert zei dat hij goed geslapen had. Hij lachte breed en opgelucht. Timo keek ernstig. “En, jij?” vroeg Robert. Nu keek Timo geheimzinnig. Hij liep naar het raam, haalde het van de kiepstand af en sloot het.

“Zo’n raam had ik vroeger ook, in mijn oude huis,” begon Robert. Timo streek neer op een poef naast zijn bureau. “Jij woonde eerst in het centrum, hè? Vind je deze buurten niet lam?" Robert schudde zijn hoofd. "Ik moest wel wennen in het begin. Hier wonen best wel veel oudjes. Bij ons had je veel hoge gebouwen. Bijna niemand die ik kende had een tuin. Hier heeft volgens mij iedereen een tuin. Mijn moeder weet nog steeds niet goed wat ze ermee aan moet. Ze wil er volgens mij bloemen in en dan in de tuin ontbijten en zo. Voor mij hoeft het niet zo. Ik ga liever echt naar buiten. Als je niet meer kunt lopen dan is een tuin misschien leuk." Timo luisterde gedachteloos naar Roberts relaas. "Mijn moeder zit ook altijd in de tuin. Voor mijn oma is het prettig. Maar ik snap wat je bedoelt, gast. Ik ga ook liever echt naar buiten."

"Je zei dat je een plan had over je weet wel." Timo lachte. "Niemand kan ons hier horen." Toch keek hij onbewust over zijn schouder uit het raam. Het zat nog steeds dicht. Robert kreeg het een beetje warm en voelde dat zijn keel was uitgedroogd. "Die Playstation wil ik hier niet in huis. Dat ding is knalrood, dus het valt echt op." Robert speurde om zich heen. "Nee, ik heb hem hier niet meer staan. Ik dacht ineens stel dat mijn moeder in een schoonmaakbui is en ze komt zomaar mijn kamer binnen." Roberts ogen lichtten op. "Komt ze binnen zonder te kloppen?" Timo knikte. "Ik word er gek van. Maar ze zegt dat het haar huis is, dus ja, ik wacht maar gewoon totdat ik op mezelf woon." Het klonk vastberaden. "Ik word af en toe ook gek van mijn moeder. Ze wandelt maar binnen. Ik heb toch ook recht op privacy?"

Robert trok een verontwaardigde blik die Timo met hem deelde. “Ze snappen het echt niet hè. Kijk, ik lig heus geen hele dagen met mijn piemel te spelen. Ik kijk een filmpje of chill een beetje op Twitter. Niks bijzonders, maar ik vind toch dat ze moet kloppen.” Robert was één en al begrip voor dit standpunt. Hij begreep alleen Timo’s laatste opmerking niet helemaal. Aangezien Timo er stoer bij keek ging Robert ervan uit dat het niet letterlijk bedoeld was.

“Ik vind het wel irritant als ze ’s ochtends binnenkomt. Of in de badkamer. Maar, ik ben ook niet dom. Ik doe gewoon de deur op slot. Dan begint ze weer over luiers verschonen en hoe vaak ze mijn kont al gezien heeft.” Timo kletste op zijn dijen en lachte in zijn vuist. “Ja, gast, dat ken ik. Zijn alle moeders zo? Echt irritant. Ze gaven elkaar een boks van herkenning. Robert vond het leuk om te horen dat hij niet de enige was die af en toe kierewiet werd van zijn moeder. Hij kon zich alleen nog niet echt voorstellen dat hij ooit op zichzelf zou gaan wonen. Robert keek nog eens naar Timo’s baardje.

“Ik heb de Playstation in de schuur, ergens helemaal achterin tussen allerlei spullen gedumpt voorlopig. Bij ons komt er nooit iemand in de schuur. Dat ding staat helemaal volgebouwd met allerlei rommel. Mijn vader heeft moeite met spullen weggooien. Robert wilde ook iets over zijn vader zeggen, maar hij wist niet zo snel wat. Het was lang geleden voor zijn gevoel dat hij hem gezien had. Net toen Robert bedacht dat hij iets over zijn vaders wereldreis kon vertellen vervolgde Timo wederom op halve fluistertoon zijn verhaal. “Als ik het weggooi, dan heb ik geen bewijs meer. Ik dacht ineens aan wat jij zei, gast. Dat we ook iets tegen Patrick moeten doen. Maar, ik weet het niet. Dan heeft hij de komende tijd een strafblad. Ik wil alleen maar dat hij stopt. Kijk, hij is echt wel vervelend. Maar, ik weet ook dat hij anders kan zijn.” Robert luisterde met ingehouden adem.

“Timo, ben je wakker?” Robert keek geschrokken op. “Mijn moeder,” verklaarde Timo. “Ze was de hele nacht op met oma. Ik dacht dat ze nu ook weer sliep. Even wachten, ik kom zo.” Terwijl Timo de kamer uitliep richtte Robert zich op en liep naar het raam. Voor Timo’s raam stond geen boom. Tegenover hun woonblok lag een bouwterrein dat nu verlaten was. Er werd een nieuw blokje huizen gebouwd. Mooi werk vond Robert dat. Vooral ook het slopen ervan. Hij had eens bij een tv-programma gezien dat ze dat vroeger met een soort grote kogel deden die ze tegen de gevel van een pand lieten knallen, totdat er een gat in de muur geslagen was. Daarna kwam een grijparm die stukken muur kapot trok. Het leek Robert wel interessant om iets te slopen. Nu gebeurde het heel anders. Die gave kogel kwam er helaas niet meer aan te pas. Nu werd een pand als een soort bouwpakket uit elkaar gehaald. Alles lag keurig gesorteerd op de bouwplaats. Dat vond Robert minder cool. Het ruige van zo'n knallende sloopkogel vond hij geweldig mooi.

"Mijn oma is wakker geworden van de voordeur. Ik zei dat ik had afgesproken en dat we echt heel zachtjes deden." Robert keek bezorgd. Hij voelde zich schuldig. "Maak je geen zorgen. Mijn oma wordt zelfs wakker als ik me in mijn slaap omdraai, terwijl zij helemaal beneden ligt." Timo lachte geruststellend. "Je hebt gelijk, als je die Playstation dumpt, dan hebben we geen bewijsmateriaal meer," herhaalde Robert. Timo begreep de hint. "Het was nog een heel gedoe, gast. Ik wist echt niet waar de schuursleutel was en ik kon het aan niemand vragen, want dan zou ik moeten vertellen wat ik in de schuur te doen had. Mijn vader zou helemaal panisch worden bij de gedachte dat iemand tussen zijn spullen zou gaan neuzen." Robert begreep dat hij toch nog even moest wachten op het voorstel van Timo. "Wat heeft jouw vader voor spullen in de schuur, dan? Vroeg hij daarom belangstellend. "Pfff, allemaal troep. Ja, gereedschappen, allerlei kisten en spullen. Een hoop troep van mijn oma's oude zolder. Toen mijn opa overleed hebben we haar in huis gehaald. Mijn ma wou heel veel weg doen, maar mijn pa wilde juist bijna alles bewaren. Als het aan hem lag had hij zo'n opbergbox gehuurd om alles in op te slaan. Uiteindelijk zei mijn ma dat hij zoveel spullen mocht bewaren als er in de schuur pasten." Timo begon te lachen. "Ze dacht waarschijnlijk dat mijn pa maar weinig spullen in de schuur zou kunnen bewaren. Maar, volgens mij heeft hij die hele zolder in de schuur gepropt."

Roberts gedachten dwaalden af. Het deed hem denken aan die keer dat hij met zijn ouders de stad in was geweest en bij een restaurant ging eten waar de prijs van het eten afhing van de grootte van de bordjes. Om kosten te besparen hadden ze besloten om allemaal een klein bordje te nemen en slim hun eten op te stapelen. Ze balanceerden naar de kassa. Onderweg vroeg Robert zich af of het geaccepteerd zou worden. Maar, de caissière had er helemaal niets van gezegd. Robert begon ook te lachen. Hij wilde opmerken dat zijn opa niet dood was, maar dat hij geen contact met hem had. Maar, het leek een loze opmerking te zijn. Hij besloot te zwijgen.

Timo begon aan zijn veters te friemelen, stond toen op, gooide zijn poef achter zijn bed en pakte zijn bureaustoel, draaide die om en ging er achterstevoren opzitten. "Stel nou dat we hem ergens heen lokken en dan net doen alsof we wat bij hem willen kopen. Dan zorgen we ervoor dat we een grote bestelling doen, zodat hij die neef mee moet nemen. Als hij het zelf kan dragen dan is het niet goed. Ik wil dat die neef erbij is." Roberts hart bonsde van spanning in zijn keel. Timo vervolgde zijn verhaal in de wetenschap dat hij de volledige aandacht van Robert had. "Dan moeten we er iemand bij hebben die hun dan op heterdaad betrapt en die bijvoorbeeld zegt dat hij het tegen Patricks ouders gaat zeggen. Zijn vader is namelijk advocaat. Die wil echt niet dat zijn zoon zich met criminele zaakjes bezig houdt. Dan moet hij wel stoppen. En zijn vader bepaalt dan wel wat er met die foute neef moet gebeuren." Timo keek Robert trots aan. Dit plan had hij zelf bedacht.

"Wat vind je ervan?" vroeg Timo. Robert liet het op zich inwerken. Zijn hand gebaarde dat hij wat meer tijd nodig had om zijn mening te vormen. Hij stond op en liep naar het raam, leunde met zijn rug tegen de vensterbank. "Ik weet het niet. Ik dacht dat hij alleen spullen vanuit zijn schuur verkocht als zijn ouders er niet zijn. Waarom zou hij dan ineens ergens anders heen gaan?" Timo zuchtte. Dat had hij inderdaad over het hoofd gezien. Robert trok wat rimpels in zijn voorhoofd. "Maar, stel dat we die gasten inderdaad ergens naartoe zouden kunnen lokken. Of nee, wacht, wat nou als we achter het nummer van zijn vader proberen te komen. Als hij advocaat is dan moeten we zijn nummer zo kunnen googelen. Dan bellen we hem op het moment dat Patrick bezig is in de schuur. Zo blijven wij buiten schot." Nu trok Timo een frons. "Ik begrijp wat je bedoelt. Maar, aan de andere kant, wat moeten we dan tegen hem zeggen als we hem bellen. We kunnen moeilijk zeggen 'kunt u naar huis komen want uw zoon handelt op dit moment in gestolen spullen vanuit uw schuur.' Dat gelooft hij nooit."

De jongens werden uit hun gesprek gehaald door een piepje dat uit de richting van Timo's bed kwam. "Oh, mijn telefoon," mompelde hij en gleed met zijn hand onder zijn kussen. Dat vond Robert grappig. Hij had ook altijd zijn Blackberry onder zijn kussen." Timo fronste na het lezen van het bericht. Roberts nieuwsgierigheid was gewekt. "Laura?" vroeg hij verbaasd. "Nee," klonk het kort. Robert pakte het gesprek weer op. "Jouw stem is wel ietsje zwaarder dan de mijne, maar hij hoort heus wel dat we nog geen volwassen mannen zijn, denk ik." Robert hield Timo's blik gevangen. Met samengeknepen ogen en zijn telefoon nog in de hand probeerde Timo weer naar het punt terug te keren in het gesprek waar hij gebleven was. Weer klonken er piepjes uit zijn telefoon. Hij drukte ze weg en keek niet op zijn scherm. Zijn telefoon hield hij echter wel de hele tijd in zijn hand. Het leidde Robert af. "Krijg je tweets binnen?" vroeg hij in een tweede poging om opheldering te krijgen over de piepjes. "Ik zet 'm wel even op stil," antwoordde Timo zonder verdere uitleg te geven.

"Misschien moeten we ervoor zorgen dat Patrick ons eerst gaat vertrouwen," bedacht Robert. "Als hij mij ziet of weet dat wij nou met elkaar omgaan, dan zal hij ons niet vertrouwen." Dat vond Timo een goede tip. "Ja, jij hebt gevochten met die gast, hè." Even was het stil. "Maar, je hebt ook met mij gevochten en wij zijn nu ook gewoon cool." Robert bloosde en knikte terwijl hij naar de grond bleef turen. Er kwam geen geluid uit Timo. Robert keek hem daarom aan om te kijken wat de reden was voor het uitblijven van zijn stem. Timo zat met dezelfde diepe frons als even tevoren naar het verlichte scherm van zijn telefoon te kijken. Robert vond het maar raar en ook een beetje vervelend dat Timo midden in hun gesprek een ander gesprek wilde voeren via de toetsen van zijn telefoon.

"Wie is dat nou de hele tijd?" vroeg Robert. Timo stak zijn mobiel nu in zijn zak. "Sorry, je hebt gelijk, ik stop 'm wel even weg." Robert pakte het gesprek wederom op al zat het hem niet lekker dat Timo zo kortaf en mysterieus deed. "De vraag is dus eigenlijk hoe we vrienden met hem kunnen worden?" concludeerde hij. "Ja," beaamde Timo. We moeten ervoor zorgen dat hij ons gaat vertrouwen en dan pakken we hem." Timo keek strijdlustig. "Ja, dat moeten we doen," was Timo's eindoordeel. Hij stond resoluut op en haalde zijn telefoon weer tevoorschijn. "Hoe laat heb je met Anna afgesproken?" Robert dacht bloedbroeders met Timo te kunnen worden. Nu deed Timo toch ineens geheimzinnig en heel kortaf. Was hun geheime *meeting* dan nu al ten einde? "Ik moet even wat doen, man. Sorry," excuseerde Timo zich. "Als ik het eerder wist, dan had ik later met je afgesproken." Robert strekte zijn benen en liet zich naar de deur van Timo's slaapkamer kijken. Beneden zei Timo dat hij Robert nog wel een berichtje zou sturen om af te spreken wanneer ze hun plan verder uit konden werken. "In de tussentijd kan het geen kwaad als jij Patricks vertrouwen probeert te winnen. Je zit bij hem in de klas, dus je hebt alle gelegenheid." Met dat stukje huiswerk op zak scheidden de wegen van de jongens.

Tegen lunchtijd stapte Robert binnen om verrast te worden door de geur van tosti's. Tot zijn aangename verbazing stonden Anna en Els in de keuken. "Hé, schatje, ben je daar nou eindelijk. Ik heb je wel honderdduizend keer gebeld!" Anna sprong hem om zijn nek. Robert voelde in de zakken van zijn broek, en jaszakken, maar moest concluderen dat hij zijn telefoon niet bij zich had. "Je bent 'm toch niet kwijt?" vroeg Els bezorgd. Robert wist dat hij zijn telefoon voor het laatst op zijn bureau had zien liggen. In zes passen stapte hij naar boven en riep omlaag: "Ja, ik heb 'm." Snel gevolgd door: "Zo, dat zijn inderdaad honderdduizend gemiste oproepen."
De rest van die zondag hadden Anna en Robert de dag voor zichzelf. "We moeten nog steeds een keer jouw ouders uitnodigen," begon Els. Anna wiebelde op haar stoel. "Mijn

vader en Joyce," beet ze met gedempte stem. Els woelde even door haar haren. "Gaat het nog steeds niet beter met Joyce." Anna trok een verveeld gezicht. Vertel liever hoe jouw date met Laura's vader was," giechelde Anna. Els wisselde een blik uit met Robert en zag direct dat ze hem daar geen plezier mee zou doen. Ze besloot het advies van haar schoonheidsspecialiste Shirley te volgen. Deze hartelijke donkere dame had gezegd dat ze haar romantische ontmoetingen niet met haar zoon moest willen delen. "Als je wat kwijt wilt, haren of sappige verhalen, dan kom je maar naar Shirley," had ze gezegd. Els glimlachte even toen ze hieraan dacht. "Nee, Anna, misschien als we een keer samen wat gaan doen." Anna legde haar hoofd even tegen Els' schouder. "Nou, het lijkt me erg leuk om er ook een keer samen op uit te gaan."

Robert at en liet zijn gedachten wegdromen naar het beeldscherm van Timo's telefoon. Waarom deed hij ineens zo raar? Zou hij misschien nog een vriendinnetje hebben? Ergens zou Robert dat niet leuk vinden. Laura zou het zeker uitmaken en die zou dan weer de hele dag aan de arm van zijn Anna te vinden zijn. "Toch, Robert?" hoorde hij ineens. "Hè wat?" vroeg hij. Anna en Els begonnen te bulderen van het lachen. Robert begreep niet waarom, maar dit keer had hij geen moeite met het onderonsje van Anna met iemand anders. "Heb je nog wat van Laura gehoord?" vroeg hij toen de dames uitgelachen waren. "Ja, zeker. Ze is helemaal in de wolken van Timo. Het is Timo voor en Timo na. Ik word er gek van. Ze wil het zelfs niet meer over mode en make up hebben." Robert slaakte een kreet en sloeg zijn hand quasi geschrokken voor zijn mond en zei met een hoog stemmetje: "Nee, dat méén je niet. Zelfs niet over make-up?" Nu lachten ze alle drie hartelijk.

Na Anna uitgebreid goedenavond gekust te hebben zetten Robert en zijn moeder Anna thuis af. Els gaf terecht aan dat het weer vroeger donker begon te worden. Ze had er een beter gevoel bij als ze Anna thuis afzetten. Robert legde de laatste hand aan zijn werkstuk. Hij zou zich concentreren op Tokyo en Zheng Zhou. Via de verhalen van zijn vader die op wereldreis was zou hij de overeenkomsten en verschillen van die twee Aziatische plaatsen presenteren bij maatschappijleer. Vroeger zou Robert gedacht hebben dat extra punten scoren voor nerds was. Hugo vond dat namelijk. Maar nu had hij zijn eigen mening. Leren interesseerde hem gewoon. Hij was alleen vaak afgeleid. Hugo had nu zelf een professor vriendinnetje zoals hij haar had genoemd. Robert vond het leuk om zijn vriend zo blij te zien. Tegen half tien hoorde hij zijn moeder op de trap. Hij dook zijn bed in omdat hij wist dat ze het te laat zou vinden om nog op te zijn. De volgende dag moest hij tenslotte naar school.

Hij hoorde hoe zijn moeder even voor zijn deur bleef staan. Toen liep ze weg en sloot haar slaapkamerdeur. Roberts hart gloeide van blijdschap. Had zijn moeder nu eindelijk door dat ze niet zomaar zijn kamer in kon lopen? Misschien was het toch goed dat ze nu een date had. Dan hoefde ze hem niet meer zo op zijn lip te zitten. Met een tevreden gevoel zakte Robert weg in een doezelige wereld. Hij voelde zich gelukkig. Hij had coole vrienden, zijn moeder deed weer normaal en Anna had weer alle aandacht voor hem. Samen met Timo smeedde hij aan een plannetje om zijn aartsrivaal een hak te zetten en zou daar misschien wel een bloedbroeder aan over houden. Maar waarom had Timo hem wel in vertrouwen genomen over de gestolen spullen, maar niet over de berichtjes die hij binnen had gekregen. Hierdoor had Robert het idee dat het iets heel ergs moest zijn. De slaap won het van zijn gepieker en hij gleed Fantasialand binnen.

Warme zonnestralen streelden zijn huid zachtjes terwijl hij in de Vallei van Standvastigheid lag. Aan zijn vingertoppen kietelden de miertjes, lieveheersbeestjes en kevertjes die op ontdekkingstocht over zijn hand trokken. Bedwelmd door de sussende zon staarde hij naar zijn hand en beeldde zich in hoe groot zijn lichaam moest zijn voor deze kleine diertjes en hoeveel lef zij op hun beurt moesten hebben om hem te plagen met hun gekietel. Na de kleine Columbusjes een poosje gade te hebben geslagen sloot hij onder lichte dwang van de warmte zijn oogleden. Bloemen vulden de Vallei met hun zoetige geuren. Roberts neusvleugels kriebelden aangenaam.

Ineens werd het kouder. Robert wilde op kijken om te zien welke brutale wolk zijn paradijselijke moment durfde te verstoren, maar hij kreeg zijn ogen niet open. Het leek wel alsof ze dicht geplakt waren. Hij trok met kracht zijn wenkbrauwen omhoog, maar zijn oogleden weken niet van elkaar. Het werd nog kouder. De kou zat in de lucht en kwam nu ook uit de grond. Opstaan lukte niet. Zijn ledematen lagen buiten zijn bereik. Robert probeerde om hulp te roepen, maar ook zijn lippen kreeg hij niet van elkaar. Hij raakte in paniek en begon zwaar door zijn neus te ademen. Doordat hij ook moest huilen vulde zijn neusholte zich met snot. Zijn oogleden leken op te zwellen van al het traanvocht dat zich daar ophield. De druk op zijn lichaam werd te groot.

"Hé schatje," hoorde hij ineens. Robert deed zijn ogen open en keek in het stralende gezicht van Anna. Hij voelde zich weer normaal. Hij bewoog zijn armen en benen en wilde opstaan. "Blijf liggen," fluisterde Anna en ze trok haar kleding uit. Robert bleef ademloos liggen en keek alleen maar. Hij bewonderde haar en wilde een compliment maken. Maar, iedere zin, ieder woord dat hij bedacht was niet goed genoeg. Terwijl hij daar roerloos lag en zijn vriendin aanbad verschenen er ineens knokige gerimpelde vingers die Anna's schouders van achteren omklemden. Zwarte nagels die in punten geveild waren priemden in haar huid. Er begon zachtjes bloed te stromen langs haar schouders. Toen verdwenen Anna's ogen en schenen de donkergele ogen van de heks Sabotatia door Anna's oogkassen. Sabotatia's hoonlach weerkaatste tegen de muren van de Vallei. "Ik zal nooit van jou zijn," sprak ze met Anna's stem.

Robert hapte naar lucht terwijl hij wakker werd. Instinctief liep hij naar het raam en opende het. Snel klaarde hij op. Het liefst wilde hij heel hard door het raam schreeuwen dat hij het spuugzat was om nachtmerries te hebben. Gesloopt voelde hij zich. Toen dacht hij weer aan de tip van mevrouw de Witte, de psycholoog. Volledig wakker en bezweet ging Robert aan zijn bureau zitten en pakte zijn schetsblok. Hij tekende Anna zoals hij haar zag in zijn droom, in de knokige greep van Sabotatia en met donkergele ogen.

Zijn afkoelende lichaam rilde alsof het de wervels van zijn ruggengraat wilde laten rammelen. "Zo is het wel goed, denk ik," bibberde Robert en keek kritisch tevreden naar zijn tekening. Hij dook weer in zijn bed en tuurde in het scherm van zijn Blackberry. In zijn fotoalbum zocht hij een afbeelding van Anna waarvan hij vond dat ze er op haar allermooist opstond. Die foto plaatste hij als screensaver.

Anna had het al een paar keer gevraagd aan hem. Met zijn smartphone is zijn handen geklemd viel hij dit keer rustig in slaap.

“Als je niet wil dat ik in je kamer kom, moet je wel opstaan als de wekker gaat!” hoorde hij zijn moeder vanaf de gang roepen. Toen pas hoorde Robert het gedempte geluid van het alarmpje van zijn Blackberry. Het lag op de grond, met de luidspreker omlaag. Gauw sloeg hij zijn dekbed van zich af. Zijn raam had de hele nacht opengestaan. Toen hij zich dat realiseerde kuchte hij. Het klonk borrelig in zijn keel. “Nee hè,” mompelde hij. In de badkamer schraapte hij zijn keel. Het voelde rauw.

Aan de ontbijttafel lukte het hem niet om een boterham te eten. De korstjes waren te stug voor zijn keel. “Je ziet er moe uit,” merkte zijn moeder op. “Je wordt toch niet ziek, hè?” Els legde haar handpalm op Roberts voorhoofd. Hij gaf geen antwoord. “Eet desnoods alleen wat fruit,” merkte zijn moeder op. “Ik word gek van die nachtmerries.” Els knikte begripvol en keek op de klok. “Zullen we het er in de auto over hebben?” vroeg ze met een zachte stem. “Nee, laat maar.” Robert zuchtte en stond op. Hij keek verveeld. “Het kan wel, maar dan wordt het krap. We kunnen beter nu de deur uit gaan en iets eerder bij Anna staan, daar kunnen we dan op ons gemak praten. Dat is beter dan dat we straks hals over kop de deur uitgaan en ik moet gaan racen in het verkeer. Dat wil ik niet." Robert wilde bijna een grapje maken over Tom, de vader van Laura, die ze in het verkeer ontmoet had. Zijn moeder zou er zomaar een tweede date aan over kunnen houden. Maar, het geintje leek hem ongepast.

In de auto wachtte Robert eerst zijn moeders make-up-, radio- en gordelritueel af voordat hij erover begon. "Ik droomde dat Anna zei dat..." Els draaide de knop van de radio iets harder. "Even de files beluisteren, lieverd, dan weten we hoe we het beste kunnen rijden. Als het namelijk weer vast staat op de snelweg, dan moeten we anders rijden, want dan komt al het verkeer dat de file wil ontwijken binnendoor. Zo vervelend dat deze wijk tussen twee snelwegen in ligt." Els keek oplettend en luisterde aandachtig naar de radio. Robert zweeg. "Nou, dat valt gelukkig mee," lachte zijn moeder na de filemeldingen. "Wat wilde je zeggen?" Robert lachte. "Je gaat vooruit, mam, vroeger zou je allang vergeten zijn dat ik iets aan het vertellen was." Els porde hem in zijn zij.

"Nee, ik zei dat Anna in mijn droom zei dat ze nooit van mij zou zijn en toen werd haar lichaam soort van overgenomen door een heks." Els merkte op dat ze die heks wel vaker voorbij hoorde komen. "Wat zegt mevrouw de Witte ervan?" vroeg ze. "Toch niet dat ik die heks ben? Want, je weet het lieverd, ik ben hartstikke gek op Anna. Ik vind het juist geweldig dat je zo'n leuke meid als vriendin hebt." Robert porde zijn moeder terug en zei met een geniepig hoog stemmetje: "Knibbel, knabbel, knuisje, wie loopt er 's ochtends zomaar mijn kamer binnen?" Els begon te lachen. "Dat rijmt niet eens," hikte ze. "En, trouwens, dat doe ik toch niet meer?" Robert keek uit het raam. "Zoals ik al zei, mam, je gaat vooruit. Maar, denk je dat zo'n droom iets betekent?" Els drukte haar wenkbrauwen omlaag en tuitte haar lippen. "Ik denk het niet. Nou ja, ik weet het eigenlijk niet. Shirley denkt dat alles een betekenis heeft, maar dat komt volgens mij uit haar cultuur."

Robert onderbrak zijn moeder met een vraag: "Welke cultuur? Afrikaans toch?" Els schudde haar hoofd. "Nee, Surinaams, is ze." Robert vroeg zich af of zijn moeder het over 'voodoo' had. "Ja, daar heb ik een keer per ongeluk iets over gelezen op internet. Ik zocht eigenlijk iets anders. Maar dat is niet met heksen, maar met geesten, dacht ik." Els rilde. "Houd je op, zo op de vroege morgen. Getsie, wat een eng onderwerp." Robert greep zijn moeders opmerking meteen aan om de ernst van zijn klacht te benadrukken. "Nou, mam, jij vindt het eng terwijl we wakker zijn en het met klaarlichte dag bespreken. Je wilt niet weten hoe eng het is om dat allemaal in je slaap te zien en ook echt alles te voelen." Els zuchtte. "Ik hoop zo dat je er snel vanaf bent. Nu begrijp ik waarom je er zo moe uitziet. Ik bedoel, je was op tijd naar boven, dus vandaar dat ik dacht dat je ziek werd." Robert vertelde maar niet dat hij toch ook laat was opgebleven. Niet eens om te gamen. Vroeger pakte hij zijn DSi nog wel eens stiekem in bed, maar sinds hij een nachtmerrie had over de game die hij speelde, deed hij dat niet meer.

Ze kwamen wat vroeger aan in Anna's straat. Maar Anna stond al buiten en trakteerde haar carpoolmaatjes op een stralende glimlach en een dikke kus. In de auto begon ze meteen honderduit te praten over haar gesprek met Laura van de avond ervoor. "Ik moest echt op haar inpraten, maar ze doet mee," brabbelde Anna zonder begrepen te worden. De vragende blikken kwam ze tegemoet door te stellen dat het natuurlijk om de jacht naar een *blind date* voor Terence ging. Via haar nieuwe HTC liet ze Robert een paar foto's zien. Anna legde uit dat Isabelle foto's had gemaild van een paar vriendinnen van haar die niet zo kieskeurig waren. "Dat klinkt ook niet aardig, of is het echt zo'n hork waar jullie voor aan het zoeken zijn?"

Robert vroeg of zijn moeder gewoon Nederlands wilde praten. "In onze generatie is het woord 'hork' uitgestorven. Tenminste, ik heb geen idee wat het is? Jij? vroeg Robert." Anna zweeg, ze tuurde in haar telefoon en toetste Google in op haar startpagina. "Ja, niet even snel googelen, hè," Robert kneep in haar bovenbeen. "Weten jullie echt niet wat een hork is, jongens?" vroeg Els verbaasd. "Dat is een heel gewoon woord hoor. Het betekent lomperik. Hoe noemen jullie dan een lomperik?" Anna haalde haar schouders op: "Gewoon een Neanderthaler." Els bulderde het uit. "Dat is toch een veel moeilijker woord dan hork? Nou, ja..." Ze begreep er niets van.

Intussen waren ze op school aangekomen. Laura stond voor de school met Timo's arm om haar heen. Anna's ogen werden zo groot als schoteltjes. "Nou, ja, hij zit hier niet eens op school." Vlug stapte ze uit en vergat Els gedag te zeggen. Robert trok zijn schouders op. Hij had gehoopt dat hij al Anna's aandacht weer zou hebben nu laura dikke verkering had met Timo. "Heks," siste hij tussen zijn tanden, wees met zijn hoofd in Laura's richting en lachte om dit onderonsje met zijn moeder.

DIKKE MAATJES?

“De schoolbel gaat zo, zullen we vast naar binnen gaan,” begroette ze Laura. Die aarzelde even en zei toen: “Oh ja, voor dat ene natuurlijk.” Ze gaf Timo een kus op zijn mond. Anna knikte naar hem met strak getrokken mond en zonder oogcontact. Ze loodste haar vriendin naar binnen. Robert maakte van de gelegenheid gebruik om zijn onbegrip te uiten over de in zijn ogen grillige aard van vrouwen. Timo streelde over zijn baardje en spuugde met een boogje en zei: “Je moet het niet willen volgen of begrijpen, gewoon van genieten en als ze boos worden, wegwezen. Dat is het beste.” Robert wist niet goed wat hij met dit advies aan moest. Soms deed Timo hem aan zijn vader denken. Die zei vroeger ook veel van dat soort rare dingen over vrouwen. Nog een paar weken dan zou zijn vaders periode van stilte en bezinning in het Chinese klooster waar hij nu zat voorbij zijn.

De eerste bel ging. “Kwam je voor mij? Moet je trouwens zelf niet naar school?” vroeg Robert met gehaaste stem. Timo trok zijn hoofd in en zijn schouders op. “Ja, komt wel goed,” antwoordde hij. Robert begreep niet of dit betekende dat Timo nu wel of niet naar school ging. “Kijk, sommige dingen kunnen we niet doorbellen of via het internet doen,” begon hij op rustige toon, terwijl hij weer zijn schichtige houding aannam, "vandaar dat ik hierheen kwam. Maar, die Hugo gast die jij kent kan jou misschien wel helpen om dichter bij Patrick te komen. Hij kent 'm ook." Robert wilde meer weten, maar ook niet te laat in de klas komen. "We spreken!" riep hij, gaf Timo een boks en racete naar binnen. Charlotte van de conciërge hield hem tegen voorbij de draaihekjes om hem erop te wijzen dat rennen niet toegestaan was. Ze liet hem meteen weer gaan, want ze wist dat het een kwestie van secondes was voordat de tweede bel zou gaan. Ze mocht Robert wel daarom wilde ze hem een te laat briefje besparen.

In het leslokaal kon Robert moeilijk zijn concentratie vinden. De laatste keer dat hij met Hugo op Twitter zat had hij een *direct message* gekregen waarin Hugo meldde dat hij ene Patrick kende. Toen was er geen gelegenheid om er verder op in te gaan. Robert had er genoeg van dat hij telkens met half afgemaakte acties bleef zitten. Hoe kon hij zoiets belangrijks nou vergeten? Hij leek zijn moeder wel. Dat was ook een kip zonder kop af en toe. Het allerliefste wilde hij Hugo spreken, maar die zat zelf ook op school en hij zou nooit tijdens de les zijn Blackberry kunnen pakken. Er werd streng op gelet. In een andere klas waren er zelfs al twee smartphones afgepakt. Het verhaal ging dat één leerling zijn mobiel aan het einde van de les weer terugkreeg. De andere was zijn mobieltje een hele week kwijt. Robert kon zich niet voorstellen dat hij geen Blackberry zou hebben. Toen hij er nog geen had vond hij het maar drukdoenerij dat leeftijdgenoten met smartphones in de weer waren. Zelf kon hij er nooit één kopen. Zeker niet met een mobiel abonnement. Dat was veel te duur. Gelukkig had hij er één cadeau gehad. Nu hij verkering had en vrienden kon hij onmogelijk meer zonder smartphone. De geschiedenisles leek maar niet voorbij te gaan. De Vries had al een paar keer in de richting van Robert gekeken. Dat was hem niet eens opgevallen. Plotseling stond De Vries naast zijn bureau, klikte zijn hakken tegen elkaar en zei: “Beste mensen, dankzij Robert, mogen jullie je boeken weg doen en een extra toets maken over Bonifacius. Ik hoop dat jullie goed opgelet hebben de vorige keer.” Toen liep hij weer naar voren. Robert werd vanuit alle hoeken bekogeld met giftige blikken en sissende geluiden. Hij begreep er niets van. Totaal uit het lood geslagen vroeg hij met overslaande stem: “Maar, meneer, wat heb ik dan gedaan. Ik zei niks.” De Vries griste in zijn lade naar toetspapier en zei: “Dat is exact het probleem, Robert. Ik heb er alle vertrouwen in dat jou straks haarfijn uitgelegd wordt hoe de vork in de steel zit.” Robert zag water branden en stak zijn handpalmen in onschuld naar zijn klasgenoten die het mokken langzaam opgaven om aan de eerste vragen te beginnen. Anna wilde haar vriendje dolgraag vertellen dat De Vries al drie keer een vraag aan hem had gesteld. De docent keek haar zo indringend aan dat er geen enkele ruimte was om Robert te seinen of stiekem aan te stoten. De Vries zou het direct gezien hebben en wie weet wat haar dan boven het hoofd hing. Na de derde keer had hij gezegd dat als Robert geen antwoord gaf, de hele klas het antwoord mocht geven.

Tijdens de leswisseling stootten Patrick en Gerard Robert hard aan toen ze naar buiten liepen. “Loser!” gromde Patrick geïrriteerd. “Hé, kijk uit waar je loopt, man!” riep Anna hen na. Robert legde een sussende hand op haar arm. Toen draaide ze zich naar hem om. Haar gezicht ontdooide. “Wat heb jij toch af en toe? De Vries had je al drie keer een vraag gesteld. Waar zat je met je hoofd?” Robert trok Anna tegen zich aan, drukte snel een kusje in haar nek en liet haar gauw los. “Ben jij ook boos op me?” vroeg hij. Hij pruilde met zijn lip en probeerde zo schattig mogelijk te kijken. Laura beantwoordde de vraag voor haar. “Nou, maak je geen zorgen, ik ben al helemaal niet boos. Het is al een wonder dat we de vorige keer na dat filmpje geen toets kregen. Volgens mij had hij daar gewoon alsnog spijt van.” Robert lachte. Het was een echte lach. Isabelle voelde zich ook geroepen om iets aardigs te zeggen. “Volgens mij is hij gewoon gestrest.”

Blij omdat de meiden hem niks kwalijk namen stapte hij in de richting van het volgende lokaal. Tot zijn verbazing liepen ze met hem mee. “Goh, moeten jullie niet naar de wc?” vroeg hij plagerig. Laura trok meteen een spiegeltje uit haar broekzak en keek er bezorgd in. “Ja, nee toch, of wel?” Ze keek onzeker van haar spiegel naar Robert en weer in haar spiegel. Anna lachte, haakte haar arm in die van Laura en zwoer dat Robert haar maar een beetje plaagde. Ook Isabelle beaamde dat ze er fantastisch uit zag. Robert maakte zich intussen alweer zorgen om Patrick. Die nam hem de toets wel kwalijk. Nu zou het nog moeilijker worden om vrienden met hem te worden. Ook op de gang hield Robert zijn Blackberry in zijn zak. Tegenwoordig stonden de docenten tijdens de leswisselingen in de deuropening om een oogje in het zeil te houden. In de pauze zou hij Hugo direct bellen.

Douwes vroeg aan het begin van het tweede lesuur aan Robert hoe het ging. Dat vond Robert erg aardig. "Ik ben blij dat ik weer op school ben, meneer. Het is wel weer even wennen, maar het gaat wel." Douwes klopte hem op zijn bovenarm en wist voor dat moment voldoende. Robert bedacht dat hij net als Hugo en Timo zou gaan opdrukken. Nu wist hij het zeker. Hij wilde ook stevige bovenarmen. Toen Douwes erop klopte klonk het alsof hij op een zacht kussentje klopte. Voortaan zou Robert het geluid willen horen van een stevige spiermassa. De glinstering in Douwes' ogen was voor Anna bedoeld. "Ik ben erg trots op u, jonkvrouw Kramer," knikte hij haar toe. Anna lachte breed. Ze mocht Douwes graag en ze wist dat hij blij was dat ze zich niet meer wekelijks bij hem hoefde te melden, zoals het vorige schooljaar waarin ze was blijven zitten.

Ook Isabelle kreeg een mooi compliment: “Jonkvrouw Populos, het is een eer u weer te mogen ontvangen in mijn nederige lokaal. Blijft u mij desondanks verblijden met resultaten die tussen het vierde en vijfde priemgetal liggen?” Isabelle wist als één van de weinigen dat meneer Douwes een cijfer bedoelde tussen de zeven en elf. Zo slim was ze. Toch hadden haar ouders voor de Havo gekozen. Ze was namelijk bijna anderhalf jaar jonger dan haar klasgenoten. Haar ouders wilden haar niet onder druk zetten. Isabelle kon zeker goed leren. Maar, haar ouders maakten zich zorgen om haar sociale ontwikkeling. Ze had nu vrienden en verkering. Het enige waar Isabelle zich zorgen om maakte was dat ze het volgende schooljaar of het jaar erop naar het VWO zou overstappen. Dat was de afspraak. Eerst kijken hoe het gaat op de Havo. Als ze met haar klasgenoten goed meekwam dan zou ze de stap naar haar eigenlijke niveau maken. Zonder te weten of ze tegen die tijd nog altijd bevriend zou zijn met Laura, Anna en Robert, maakte ze zich zorgen om het verlies van hun vriendschap. De les die vol complimenten begon ging door in een positieve sfeer en was boeiend genoeg om een ieders aandacht te houden. Ook die van Robert.

De rest van de ochtend stak Robert goed in zijn vel. Hij voelde zich rustig. Na het lesuur voor de pauze kondigde Anna aan dat ze heel veel te regelen had met Laura en Isabelle voor wat betreft de *blind date* voor Terence. Robert kuste zijn meisje en hoorde aan dat zowel Laura als Isabelle jaloers op hun waren, omdat hun vriendjes op andere scholen zaten. Zij moesten wachten tot na schooltijd voordat ze elkaar konden zien. Isabelle kon haar vriendje zelfs pas weer in het weekend zien. Ze hadden wel afgesproken om iedere dag te bellen. De hele dag als dat nodig zou zijn. Toen ze dat zei ging haar mobiele telefoon. Ze zag Hugo's profielfoto oplichten en haar gezicht begon te stralen als een lentezonnetje. Ze draaide zich om en huppelde een eindje weg. Robert liep haar achterna, want hij wilde Hugo bijna net zo graag spreken als zij. Hij probeerde naar haar te gebaren, maar het leek wel alsof ze dwars door hem heen keek. Hij liep terug naar de plek waar hij Anna en Laura had achtergelaten. Die waren druk bezig met foto's bekijken. Anna die zag dat Robert in hun richting keek vroeg of hij mee wilde kijken. Robert had daar geen zin in en liep een paar passen weg.

Hij ging precies op een plek staan waar hij zowel Patrick en zijn maten in de gaten kon houden als Isabelle. Zodra zij ophing, zou hij Hugo bellen. Hij had het nummer van Hugo al paraat. Robert zag dat Gerard met zijn iPad bezig was. Patrick stond te bellen en liep in de richting van de rookhoek. Robert keek achterom. De meiden waren druk bezig en zagen er niet uit alsof ze binnenkort klaar zouden zijn. Robert dacht niet na en liep met grote passen in de richting van de rookhoek en deed zijn capuchon op. Hij rook meteen de geur van wiet toen hij dichterbij kwam. Iedereen keek hem geïrriteerd aan. Een jongen die zeker nog een kop groter was dan Timo en net zo'n baardje had liep dreigend op hem af. "We moeten geen brugpiepers hier!" Gevolgd door: "Hé, Patrick, dit is toch die gast die jou bijna van school had geschopt?" Nu kwamen nog een paar ouderejaars erbij staan. Robert kreeg het benauwd. Hoe kwam hij erbij om Patrick achterna te lopen? Het was alsof hij soms helemaal niet nadacht.

De stemming was drukkend en iedereen keek hem grimmig aan. Het voelde als die keer dat hij samen met zijn vader in een angstige situatie rondom een voetbalwedstrijd was terechtgekomen. Ze waren op tijd weggekomen. Later hoorden ze dat er hevig gevochten was. De Mobiele Eenheid moest eraan te pas komen. Wat Robert nu zou zeggen zou bepalend zijn voor het beeld dat hij achter zou laten in het groepje. "Als je niet ook van school getrapt wilt worden, dan geef je me een haaltje. Ik ben vet gestrest." Robert begon op zijn tenen te veren en keek ernstig. In zijn lichaam voerden zijn zenuwen een heftige discussie met zijn bonzende hart. Van buiten oogde hij rustig. De ademcassette in zijn broekzak zorgde voor een stukje geruststelling. De jongen die hem als eerste had aangesproken bulderde van het lachen en zei: "Voor een klein brutaaltje hebben we altijd plek." Hij hield een sigarettenpeuk naar Robert.

Aangezien Robert nog nooit gerookt had, twijfelde hij even, maar nam het aan. Hij wist dat hij zich nu moest bewijzen. "Wat zit hierin?" vroeg hij. De ouderejaars schoof naar hem toe en zei: "Hoezo? Wil je liever blowen?" Robert vond dat te ver gaan. "Nee, man, ik moet nog een kruiswoordpuzzeltje leggen met mijn moeder vanavond," grapte hij. Zijn humor viel in de smaak. "Een peuk is voldoende. Een paar heisjes is oké." Robert nam de sigarettenpeuk aan en nam een haaltje. Dat haaltje liep dood in zijn keel en kwam er onder luid protest weer uit. De ouderejaars die Winston bleek te heten klopte tussen zijn schouderbladen en lachte hartelijk. "Eerste keer zeker." Robert loog en zei: "Nee, tweede." De tranen waren in zijn ogen gesprongen van het hoesten. "Ik word er gewoon emotioneel van," lachte hij. "Ik mag jou wel," concludeerde Winston. "Als je last van die kleine gast hebt, dan kom je maar naar me toe." Winston knipoogde naar Patrick om te laten weten dat het een grapje was, maar dat hij wel verwachtte dat Patrick Robert met rust zou laten. Patrick veinsde een glimlach en ging zo dicht mogelijk bij Robert staan. "Ik weet dat je iets van plan bent? Wat doe je hier? Je hoort hier niet," siste hij tussen zijn tanden. Robert deed een paar passen naar achteren en gebaarde Patrick naar zich toe. "Ik heb gewoon een paar dingen nodig. Alles wat je nodig hebt kun je hier op de hoek krijgen, hoorde ik. Hier staan toch de hosselmannen?" Patrick geloofde hem niet. “Je wilt me zeker verraden? Dat gaat je niet lukken.” Robert zette zijn meest betrouwbare gezicht op en wierp tegen: “Verraden? Verraden? Wat verraden? Je weet zelf dat mijn ouders zijn gescheiden. Anna heeft geld zat. Ik heb niks en ik zou af en toe ook iets leuks voor haar willen kopen. Zie je deze broek?” Robert wees naar het Dieseltje dat hij aanhad. “Die heb ik van haar gekregen, vriend. Dat kan toch niet. Dan moet ik toch ook wat terug doen?”

Patrick leek minder achterdochtig te zijn. “Ik wil alleen niet dat ze weet dat ik zaken met jou doe. Je weet hoe meisjes zijn.” Patrick fronste nog een keer, trok toen zijn schouders op en liep naar Gerard die duidelijk behoefte had aan een stukje uitleg. Robert observeerde de jongens terwijl hij nog een haaltje probeerde te nemen van Winstons sigaret. Hij voelde zich een beetje duizelig worden. Voor de zekerheid ging hij met zijn schouder tegen de muur van het schoolpand aanstaan. Van afstand zag hij hoe Gerards gezicht van totaal verbijsterd naar neutraal ging. “Ik hoop dat ik binnen ben,” fluisterde Robert tegen zichzelf.

“Wat heb je nodig?” vroeg Winston. Hij had een gouden tand in zijn mond en een glinsterend ringetje aan zijn wenkbrauw. “Paar dingen voor mijn meisje, maar Patrick is volgens mij al bezig,” voegde hij er nonchalant aan toe. Voor Robert was het belangrijk om vooral met Patrick van doen te hebben. Hij was in principe niet geïnteresseerd in de ouderejaars. Hij had ze mogelijk wel nodig om Patrick ervan te overtuigen dat hij er nu bij hoorde. Na een poosje kwam Patrick terug. "Volgens Gerard loopt Anna je te zoeken. Als ze je hier ziet..." Robert knikte. Hij gaf Winston en de andere jongens een boks. "Hoor ik je nog?" vroeg Robert. "Wie weet," antwoordde Patrick. "Hoe kom ik met je in contact?" vroeg hij. "Laat ik nog weten," antwoordde Robert, die niet had verwacht dat hij zover zou komen. Hij maakte nog net geen vreugdesprongetje toen hij in de richting van het hoofdschoolplein liep. Intussen rook hij zichzelf. Dat was foute boel. Anna zou direct ruiken dat zijn kleding naar rook stonk. Hoe zou hij dat nou weer moeten verklaren?

"Waar was je nou?" vroeg Anna meteen. Laura en Isabelle keken niet op of om. Robert schatte in dat ze nog steeds druk foto's aan het bekijken waren van eventuele toekomstige dates voor Terence. Hij grinnikte even en vond het ergens wel grappig dat de dames het allemaal zo serieus namen. "Gatver, je stinkt naar rook?" Anna keek hem geschrokken aan. Robert zag hoe haar borstkas sneller op en neer bewoog. "Ik was even een blokje om, maar ik was in gedachten en liep de verkeerde hoek om. Stond ik ineens midden in de troep van die rokers." Robert maakte een geïrriteerd gebaar en drukte zijn wenkbrauwen zo ver mogelijk omlaag. "Ik ben blij dat wij niet aan die onzin meedoen," antwoordde Anna en draaide zich om. “Isabelle, we hebben een probleem.” En, weg was Anna. Robert werd nu van afstand kritisch bekeken door Laura, Isabelle en Anna. Hij vond alles best, maar zou in ieder geval de grens trekken bij parfum bedacht hij, zonder te weten wat de meiden van plan waren. Met z’n drieën liepen ze op hem af. Isabelle kuchte plechtig en veroordeelde Robert tot het uitdoen van zijn trui. Anna vulde aan dat het makkelijk kon omdat hij nog een shirt onder zijn hoody droeg. Robert vond het al best dat hij er zo gemakkelijk vanaf kwam en wierp alleen tegen dat hij dan wel naar de aula wilde, omdat het buiten te koud was voor een shirt. Laura vond dat een goed idee, temeer omdat het volgens haar tijd was om nog een keer naar het toilet te gaan voordat de les begon.

Robert zat in de aula en tuurde voor zich uit. Het liefst wilde hij Timo direct op de hoogte stellen van zijn succes. Tegelijkertijd maakte hij zich zorgen. Ineens trok hij een vies gezicht en graaide naar een blikje drinken in zijn tas. Robert had er dringend behoefte aan om van de vieze smaak in zijn mond af te komen. Was dat misschien de reden dat veel rokers kauwgom namen, vroeg hij zich af. Ook raar om eerst je adem vies te maken met rook om het daarna weer fris te willen maken met kauwgom. In de tussentijd je longen en je hersenen verpesten. Robert kon zich heel goed herinneren dat zijn moeder in een gezellige bui, toen zijn ouders nog samen waren, vertelde dat ze een keer stiekem gerookt had en de wind van voren had gekregen van haar vader. Die was super slim. Robert wist niet precies hoe slim, maar zijn moeder zei het altijd. Volgens zijn opa had zijn moeder net zulke goede hersenen. Ze mocht niks doen om dat te verpesten. Toen opa sigarettenrook bij zijn dochter rook had hij haar een flinke draai om de oren gegeven. Zo ging dat vroeger, had zijn moeder toegelicht. Robert was blij dat hij niet rookte en blij dat zijn ouders hem nooit geslagen hadden.

Na schooltijd hing Isabelle direct met Hugo aan de telefoon. Ze was zo intens in gesprek dat ze bijna werd aangereden toen ze zonder te kijken de weg op ging. De gierende remmen van de auto sneden in ieders trommelvliezen. Met een kort gilletje sprong ze weer de stoep op. De bestuurder draaide het portier van zijn auto open en riep woest: “Dom wicht, kun je niet uitkijken waar je loopt!” Met een middelvinger in haar blikveld zag ze de automobilist de hoek om gaan. Beduusd stond ze op de stoep. Laura en Anna vingen haar op. Gelukkig viel het mee. Nu doemde Els in het blikveld van het drietal op. Robert en Anna stapten direct in. “Je staat toch altijd aan de overkant, mam?” Els knikte. “Ja, maar ik zag wat er met die auto gebeurde, dus ik dacht ik kom maar even wat dichterbij. Els stapte uit en vroeg of alles oké was. Toen ze gerustgesteld was reden ze zonder verder oponthoud richting Anna's huis. Joyce wilde dat ze zich eerst thuis meldde na schooltijd voordat ze ergens anders heen ging. "Ik zie jullie later wel. Hopelijk," voegde Anna eraan toe. Ze rolde met haar ogen. Els begreep dat het van Joyce afhing. Anna stapte uit en bedankte voor de lift. "Weer geen kus," mompelde Robert. Toen hoorde hij getik op zijn raam. Zijn sikkeneurige blik maakte ruim baan voor een tedere glimlach. "Je dacht toch niet dat ik jou vergat." Els keek de andere kant op om de tieners hun afscheid te gunnen.

"Nog last van die Patrick gehad?" vroeg Els. Robert kleurde direct. Els vroeg sinds de afspraken met Douwes nooit meer naar Patrick. Waarom nu ineens? Robert was op zijn hoede. "Hoezo?" vroeg hij. "Nou, ja, je bent nu weer een paar dagen op school geweest, dus ik vroeg me gewoon af of hij je met rust heeft gelaten." Robert friemelde aan zijn mouw en zei: "Nee, niks aan de hand." Els keek ernstig voor zich uit. De radio stond niet aan. Robert kreeg het gevoel dat er iets was. "Geen muziek vandaag?" vroeg hij. Els draaide de volumeknop een stukje open. "Oh, nu je het zegt. Ik had het niet eens door. Ik heb de radio waarschijnlijk even uit gedaan toen ik die auto zag. Gelukkig stond jij op de stoep." Ze woelde lief door zijn krullen en schakelde met haar andere hand. De auto trok een beetje naar rechts. Els stuurde gauw bij. "Ik vraag me af of dit koekblik door de keuring komt." Robert reageerde niet. Hij bekeek zijn moeder van opzij. Ze had hem al een keer eerder geholpen toen er sprake was van een groot probleem. Hij vroeg zich af of hij de situatie rondom Patrick met zijn moeder zou kunnen bespreken.

Toen ze binnenstapten en Robert zijn jas opendeed deinsde zijn moeder achteruit. “Hè?!” riep ze uit. “Ruik jij nou naar rook?!” Ze sperde haar ogen wijd open in ongeloof. Robert wilde dezelfde smoes aan zijn moeder vertellen die hij eerder tegenover Anna gebruikt had. Hij twijfelde eventjes. Dit zou een goed moment zijn om over Patrick te beginnen. De stilte duurde te lang. Hij moest nu iets antwoorden, maar er kwam niets. Els liet haar jas op de grond vallen en deed een verwoede poging om haar mond te sluiten die nog steeds van verbazing open stond. Hoe kon ze het beste reageren? Wat was nu slim? Wat had ze ook alweer gelezen over dit thema? Kon ze Gerda maar even bellen om te overleggen. Ze slikte. Robert begon een beetje te lachen. “Anna reageerde ook al zo,” zei hij om alvast maar wat gezegd te hebben en de volgende natuurlijke stilte maximaal te benutten om een volgende gedachte te ontplooien. Zou hij het zeggen? Nee. Nog niet. Eerst wilde hij het met Timo bespreken. “Maak je nou maar geen zorgen, mam. Ik rook heus niet. Wel stond ik in de pauze tussen de rokers omdat ik aan één van hun iets moest vragen.” Els raapte haar jas van de grond en hoopte dat haar zoon de waarheid sprak.

ELS SCHIET TE HULP

Timo dacht op dat moment alleen maar aan Laura met wie hij aan de lijn was. Zij had hem door zijn schooldag geloodst met lieve berichtjes. Ieder berichtje las hij meerdere malen. “Ik ben zo zwaar verliefd,” had hij zorgelijk naar zichzelf gelachen in de spiegel. Pas toen hij thuis kwam dacht hij weer aan zijn probleem. Vanuit zijn slaapkamer keek hij in de achtertuin. Daar stond de schuur. De schuur waar hij de gestolen rode Playstation verstopt had. In afwachting van een plan. Wat had hij ook alweer met Robert afgesproken? Timo merkte dat hij niet kon nadenken zolang hij zijn telefoon in zijn hand had dus legde hij hem op zijn bureau. “Oh ja, na schooltijd,” flitste het direct door zijn gedachten. Hij vroeg zich af of Robert via Hugo verder was gekomen. Net toen hij een bericht wilde maken ontving hij er één. “We moeten even afspreken,” stond erin. Het was van Robert afkomstig. “Goed. Waar?” schreef Timo terug. “De oude wilg.” Timo wist bijna voldoende. “Hoe laat?” appte hij nog. “Nu gelijk?” vroeg Robert. Timo vond het prima.

Anna zou hij toch niet zien. Ze had een bericht gestuurd. Joyce vond dat ze de dag ervoor veel te laat thuis was en dat ze vandaag maar wat meer aandacht aan haar huiswerk moest besteden. Anna vond het nergens op slaan. “Het gaat super goed op school. Waar heb je het over?" had ze nog gezegd. Maar, Nick zorgde er wederom voor dat verder discussiëren geen zin had. "Het is voor je eigen bestwil," had hij gezegd. "Iedere week is er wat. Dan mag ik mijn vriendje niet zien, dan mag ik ineens niet meer met hem meerijden en nu mag ik na school niet naar hem toe? Jullie verpesten mijn leven. Ik haat jullie!" had ze uitgeschreeuwd. Robert had haar getroost. Maar dat ging niet gemakkelijk. Anna was giftig. "Ze zijn gewoon sneaky. Toen jullie er waren deden ze poeslief. Maar, nu doen ze net alsof ze me bij jullie wil weghouden. Dat kan toch niet zomaar. Het is mijn leven." Robert kon niets anders doen dan luisteren en hopen dat het snel weer zou worden zoals het was.

"We zien elkaar elke dag, maar toch lijkt het alsof we geen tijd voor elkaar hebben," zei Robert. "Hoe bedoel je?" vroeg Anna bezorgd. Door de toon in haar stem voelde Robert geen motivatie om verder te vertellen. Hij wilde zeggen dat hij Anna gemist had in de week dat Isabelle ziek was en ze met Laura optrok. Hij had gehoopt dat zodra ze weer op school was, Anna en hij weer meer met elkaar op zouden trekken, maar dat in plaats daarvan het meidenteam alleen maar verder versterkt was. Het klonk een beetje zielig in zijn hoofd. Daarom besloot hij het niet hardop te zeggen. "Nee, niks, ik bedoel gewoon wat jij zei." Het klonk vaag. Anna nam er genoegen mee. "Dus, jij vindt het ook?" vroeg ze met een snik. Robert kon niets anders dan “ja” zeggen. Toen kreeg hij een idee. “Mijn moeder zou jouw ouders toch uitnodigen om bij ons te komen eten? Dat is nooit meer doorgegaan. Ik vraag wel aan haar of ze het nog een keer wil voorstellen. Ze zijn hier nooit echt binnen geweest, dus misschien, ja, ik weet niet...” Anna voelde aan welke richting Robert op wilde. “Ik vind het een topidee. Wil je het vragen aan Els. Nu gelijk? Bel je me zo dan meteen weer?” Robert was ook echt van plan om het direct met Els te bespreken, maar niet voordat hij een afspraak met Timo had geregeld. Toen die was gemaakt ontving hij weer een bericht. Hij dacht dat Timo misschien nog een vraag had. “En?” stond er in het bericht. Het was van Anna die overduidelijk haar geduld niet kon bewaren. “Ik ga nu naar beneden. Moest nog even snel wat doen,” appte hij.

Beneden zat Els zich af te vragen of Robert echt niet gerookt had. Ze vond zijn gedrag een beetje verdacht. Als hij echt niet rookte dan zou hij vlotter geantwoord hebben. Els bladerde in een oudertijdschrift. Ze wist zeker dat ze een keer een artikel gelezen had over roken en tieners. Alleen wist ze niet meer precies waar ze het had gelezen. Misschien wel in de schoonheidssalon? Gerda kreeg ze niet te pakken, dus Els moest zelf iets verzinnen. Robert bekeek zijn moeders silhouet en zag haar zorgen. Hij wist dat ze niet gerust was op het gesprek dat ze toen ze thuiskwamen hadden gevoerd. Hij had nu alleen geen tijd om erop terug te komen. Dat wilde hij wel. Maar, hij moest eerst Timo spreken. Eigenlijk wilde Robert gelijk de deur uit, maar hij moest ook nog de afspraak voor Anna regelen.

“Mam,” begon hij. “Weet je nog dat je Joyce en Nick zou uitnodigen voor een etentje?” Els knikte afwezig. “Zullen we dat binnenkort eens doen? Ik help wel mee met boodschappen. En met de hapjes wil ik ook best wel helpen.” Els zuchtte diep. “Ja, dat is waar. Moeten we zeker een keer doen.” Het klonk Robert mat en niet concreet genoeg in de oren. “Ik wil eigenlijk iets anders met je bespreken?” Zijn moeder keek hem in de ogen. “Weet ik,” antwoordde hij kalm. “Ik wil jou ook spreken. Maar dat kan niet nu. Ik moet echt even weg want er wacht iemand op me.” Els wilde weten wie die iemand was, maar Robert wilde het nog niet vertellen. “Je moet me vertrouwen, mam. Ik ben op tijd voor het eten. Dan zeg ik het.”

Robert was vlakbij de oude wilg. Het stoorde hem nog steeds dat het hart er zo gehavend uitzag. Hij draaide zich met de rug naar de boom en keek uit naar Timo. Robert wreef een takje tussen zijn handpalmen zodat de bast los liet. Als kind zou hij nu een grove stoeptegel opgezocht hebben om er een punt aan te schuren. De gedachte maakte hem blij. Soms miste hij het buiten spelen wel eens. Maar, ja, hij was nu geen kind meer. Mevrouw de Witte had gevraagd wat zijn hobby’s waren.

"Sport je niet?" had ze gevraagd zonder noemenswaardige gezichtsuitdrukking. Ze had een liggend streepje getrokken op het formulier dat ze handmatig invulde. Robert vond het een beetje ouderwets dat ze alles in een schrift schreef. Hij hoopte maar dat zijn verhaal beschermd was door zowel haar beroepsgeheim als haar opgeruimde kamer. Stel dat het zomaar op tafel lag en iemand stapte naar binnen. Zijn ingebeelde verhaal kreeg geen vervolg. "Hoe is het, gast?" hoorde hij. Timo stond op een paar passen afstand met zijn handen in zijn zakken. Hij spuugde in een boogje tegen de wind in. Zijn fluim landde op zijn eigen schoen. Robert deed net alsof hij het niet opgemerkt had. "Goeie plek. Hier is niemand." Hij keek goedkeurend om zich heen. "Nep hè?" Timo wees met de punt van zijn sneakers in de richting van de oude wilg. "Ik snap mijn neef nog steeds niet. Weet je dat ik hem sindsdien niet meer gehoord heb?" Dat wist Robert niet. "Hij weet dat ik boos op hem ben. Maar, ja, hij blijft wel mijn neef." Robert begreep het.

"Wat gaan we doen?" vroeg Timo. Het was duidelijk voor Robert dat het inleidende praatje voorbij was. Ze zouden meteen ter zake komen. "Ik heb nagedacht," fluisterde Robert. "Ik versta je niet, gast," Robert keek om zich heen. Er was echt niemand. Hij ging wat dichter bij Timo staan. "Waarom vertellen we het niet aan mijn moeder?" Timo gaf Robert een stoot. Het voelde niet helemaal amicaal. "Ik dacht dat ik je kon vertrouwen, gast. Ga je me verlinken?" Robert legde zijn arm op Timo's schouder. Timo hield zijn adem in en keek naar Roberts hand met een frons. Robert liet zijn hand liggen. "Mijn moeder is te vertrouwen. Honderd procent." Nu liet hij Timo's schouder los. Die keek nog steeds niet vrolijk. "Ik ben op zich binnen nu bij Patrick." Robert keek trots. "Hoe heb je dat geflikt? Via Hugo zeker? Ik zei je toch dat hij hem kent." Robert schudde zijn hoofd. "Nee, niet via Hugo. Die had het te druk met Isabelle vandaag." Timo lachte. "Hoe dan?" vroeg hij geïnteresseerd. Robert vertelde over het voorval op school en dikte het een beetje aan, hoewel dat niet eens nodig was. Timo was vanaf de eerste zin al zwaar onder de indruk.

"Ik begrijp het niet. Als je binnen bent, dan hebben we je moeder toch niet nodig?" Robert vond van wel. Hij legde uit dat hij zich heel erg onprettig voelde bij de situatie. "Ik weet niet eens wat me bezielde om erheen te lopen. Die gasten zijn gewoon fout, man. Ik wil gewoon niet bij hun horen. Ook niet tijdelijk. Nu heb ik in korte tijd tegen Anna gelogen en tegen mijn moeder. Ik ben heus geen heilig boontje, maar ik houd er gewoon niet van." Dat de spanning die de hele toestand met zich meebracht hem ook zo zoetjes aan teveel werd, liet hij voor het moment achterwege. "Als ik er even over nadenk dan zeg ik ga door met het plan om iets bij hem te kopen. Wat nou als ik een foto maak. Dan hebben we bewijs," probeerde Timo. Robert schudde zijn hoofd. "Nee, man, volgens mij werkt het zo alleen in films. Ik bedoel, wat ga je dan doen? Ga je hem tot in de eeuwigheid met die foto chanteren? Dat is ook niet goed, man." Timo spuugde weer met een boogje van zich af. Hij zag er zenuwachtig uit. Onder zijn oog zag Robert een spiertje trillen. Dat gaf hem moed. "Jij vindt het toch ook spannend?" Timo snoof met zijn neus. "Ik ben wel wat gewend," sprak hij stoer. Even was het stil. De fontein kletterde zorgeloos.

"Wat gaat je moeder dan doen?" vroeg Timo na een poosje. Robert voelde een klein succesje. Hij zat op de goede weg om zijn nieuwe vriend te overtuigen om er een betrouwbare volwassene bij te halen. "Ze heeft me al eens eerder geholpen met een probleem." Robert pauzeerde en keek schuin omhoog. Hij was er niet happig op om iets over Anna met Timo te bespreken, maar nu kon het misschien wel helpen om hem verder te winnen voor zijn standpunt. "Anna had een keer grote problemen. Het zag er niet goed uit. Mijn moeder heeft toen een vriendin van haar gebeld die advocate is. Toen was het allemaal snel opgelost." Timo siste tussen zijn tanden. "Ik weet het niet gast. Het woord 'advocaat' klinkt niet goed. We hebben toch niks gedaan?" Robert draaide de gedachte om "Nou, dan hebben we toch niks te vrezen? Of, heb je er toch iets meer mee te maken?" De vraag kwam er ongepland uit. Onbewust dacht Robert aan de berichten die

Timo eerder ontving en waar hij zo vaag over deed. “Nee, gast. Hier niet, hoor,” Timo wees naar zijn borstkas. “Mijn oma zou meteen een beroerte krijgen. Nee, er zijn dingen die ik doe. Maar, er zijn ook dingen die ik echt niet doe.” Robert tastte in het duister. “Ik begrijp je niet?” bracht hij in. “Wat doe je dan?” Timo begon onrustig te bewegen. “Niks bijzonders, gast. Niks bijzonders.” Robert nam geen genoegen met het antwoord. “Nou wil ik het weten ook! Ik zei dat ik je ging helpen. Misschien haal ik mijn moeder er zelfs bij voor je. Dan wil ik echt wel honderd procent zeker weten dat je oké bent.” Timo stak zijn handen nog dieper in zijn zakken. Hij rilde. Laten we een stukje die kant op lopen,” stelde hij voor. “Het is te koud om te lang stil te staan.” Robert was niet gerust. Timo hield iets verborgen. Wat zou het kunnen zijn?

Ze liepen langs de fontein en namen de route richting een aangrenzend recreatieterrein. In het park was het al stil, maar langs het meer dat naar dieper gelegen landerijen leidde was het muisstil op een enkele jogger of wielrenner na. “Die gasten gaan echt hard,” merkte Robert op, om de stilte te doorbreken. “Kijk, het is niet dat ik bang ben voor die gast, maar ik ben gewoon voorzichtig met hem. Ik heb gehoord dat hij een keer ruzie had met iemand en dat hij zijn neef die gast in elkaar had laten slaan. Die neef van hem, Donnie, had gewoon een mes bij zich en liep te bedreigen en zo. Hij moest er volgens mij wel voor zitten. Maar, heel kort. Die gast spoort niet. Snap je? We moeten echt voorzichtig zijn." Timo stond stil en keek Robert serieus aan. De ernst van zijn woorden wilde hij op die manier kracht bijzetten. "Toen ik die Playstation kreeg was hij erbij. Ik had gezegd dat ik 'm niet hoefde." "Ja, dat had je al verteld," zei Robert. "Had ik ook al gezegd dat ik 'm gratis kreeg." Robert knikte. "Je had moeten zien hoe die Donnie me aankeek, gast. Volgens mij denkt hij dat ik er nu bij hoor. Ik krijg ineens berichten van hem over van alles en nog wat. Ik ben bang dat hij vandaag of morgen mij ook voor zijn karretje wil spannen. Dat wil ik echt niet. Kijk, ik heb een reputatie. Je weet het zelf. Ze zeggen dat ik een player ben en ik ken veel gasten. Je weet hoe dat gaat." Robert luisterde aandachtig naar de woorden van Timo die na elke zin zorgelijker keek. "Ik ben geen foute gast. Snap je? Mijn ouders hebben het zwaar. Nu ook met mijn oma erbij. Ik wil geen problemen maken. Als ik in de bak zou zitten zouden ze echt flippen." Robert begreep het heel goed. In zijn eigen gedachten zag hij zijn moeder al in tranen ergens op een vloer liggen. Ze kon zo theatraal zijn. Maar ze was zijn moeder en hij hield heel veel van haar. Zelfs als ze irritant was. Hij voelde een wee gevoel in zijn buik.

Weer viel er een stilte. "Laten we niet te ver doorlopen," stelde Robert voor. "Het is op zich niet al te laat, maar om zes uur moet ik echt thuis zijn." Ze besloten pas op de plaats te maken op een steile fietsbrug. “Wist je trouwens dat daarachter een soort kamp ligt?” vroeg Robert die wat afleiding van het oorspronkelijke onderwerp kon gebruiken. “Ja gast,” Timo veerde op. “Dat is toch van dat verhaal van dat witte busje?” Robert knikte. “Zo, hoe weet jij dat dan?” Timo begon te rekenen. “Ah, toen woonde je hier zeker net?” Robert lachte. “Ik had sowieso geen zin in die verhuizing. Toen we onderweg hierheen zaten in de auto, hadden ze het over een ontvoering van een dertienjarige jongen. Ik zei nog voor de gein tegen mijn moeder dat ik dat net zo goed had kunnen zijn. Toen we hier aankwamen was dat het gesprek van de dag. Alle buren hadden het erover. En wij maar heen en weer sjouwen met die dozen. Ik wilde bijna zeggen dat wij ‘m niet per ongeluk ingepakt hadden. ‘Welkom in de buurt, hebben jullie al spijt’ zei de overbuurman. Die kerel is echt droog. Ik dacht zie je nou wel. In de stad denk je dat er dingen gebeuren, maar uiteindelijk is het daar best rustig. Het zijn juist dit soort stille buurten waar de gekken zitten.” Timo lachte luid. Ook hij kon wel een komische noot gebruiken. Al snel viel dezelfde stilte weer. De jongens wisten dat ze nog geen oplossing hadden terwijl de nood behoorlijk hoog was. “Je hebt volgens mij wel gelijk, gast. Hier gebeuren meer rare dingen dan in de stad.” Ze tuurden over het meer.

“Laten we mijn moeder om hulp vragen.” Het klonk niet als een vraag. “Wat gaat ze dan doen?” vroeg Timo. Hij klonk rustig. Het idee riep geen weerstand meer bij hem op. "Ik weet het niet. Maar, ik weet zeker dat ze samen met die vriendin een oplossing weet. En, ze doet niks zonder dat je het er niet mee eens bent." Timo bekeek zijn vriend nog eens goed. Zijn telefoon piepte. Met een ondeugende glimlach haalde hij zijn telefoon uit zijn zak. Maar, in plaats van een berichtje van Laura, zag Timo iets heel anders. Hij werd lijkbleek. "Slecht nieuws?" vroeg Robert. Timo gaf zijn telefoon aan Robert. "Lees zelf maar." Roberts ogen struikelden over de woorden in het bericht. Het was afkomstig van Donnie. "Ik heb je nodig voor iets. Waarom reageer je niet? Ik kom wel langs. Weet waar je woont." Robert kreeg het benauwd. "Die gast spoort zeker niet," concludeerde hij. "Laten we het dan maar doen," besloot Timo. "Wat? Doen? Je laat je toch niet opfokken door die gek?" Timo stak zijn handpalm sussend in de lucht. "Ik bedoel, laten we jouw moeder erbij halen." Roberts schouders vielen omlaag. Hij merkte dat hij nu pas goed kon ademen. Er viel een enorme last van hem af. Hij wilde Timo helpen, maar na wat er vanmiddag was gebeurd op het schoolplein, wist hij ook dat hij het niet koste wat kost wilde doen. Winstons ogen waren rooddoorlopen en hij stonk naar wiet. Je zag gewoon aan hem dat het niet goed was. Hoe kwam hij erbij om zich bij die jongens te melden met een brutaal verhaal. Soms begreep hij zichzelf niet. Het leek wel alsof hij eerst iets deed en dan pas nadacht. Zo was hij ook tot die vechtpartijen gekomen. Hij wilde het niet, maar hij voelde een impuls in zijn lichaam die zo sterk was dat hij het niet kon negeren.

Robert gaf Timo een *high five*. “Wil je erbij zijn? Of zal ik het eerst met mijn moeder bespreken en later aan jou laten weten?” Timo dacht kort na. “Vind ze het niet raar als je ineens met mij aan komt zetten?” Robert haalde zijn schouders op. “Vast wel. Maar, als ik zeg dat je een vriend bent, dan is het goed.” Timo sprong van de leuning van de brug en zei: “Dan ga ik direct met je mee. Straks staat die gast ineens aan mijn deur. We moeten nu echt snel handelen. Dan kan ik er maar beter meteen bij zijn.” Sneller dan dat ze heen gekomen waren liepen ze terug. Onderweg hadden ze het allebei druk met appen naar hun vriendinnetjes.

“Oh ja, even bellen. Dan weet ze dat ik niet alleen kom.” Robert knikte geruststellend in Timo’s richting na het telefoongesprek. Timo sprak vrolijk. “Mijn ouders zijn ook bijna de enige die ik bel. De rest app ik gewoon of via Twitter. Met sommige mensen zit ik op msn, maar steeds meer gaan toch appen of pingen. Hoe heet je moeder eigenlijk?” Timo probeerde aan het idee te wennen dat hij straks zijn allergrootste probleem aan een wildvreemde vrouw zou gaan vertellen. Misschien hielp het als hij haar naam wist. “Els,” antwoordde Robert. Hij wist geen verdere toelichting. “Oh ja, dat zij Laura al. Volgens haar is jouw moeder echt heel lief en begripvol. Ze hoopt dat ze later ook zo mooi blijft als ze oud is, zei ze." Robert lachte. Hij vond het aardig om te horen. Hoewel hij zijn moeder meer oud dan mooi vond. Els ijsbeerde van de woonkamer naar de keuken. In beide ruimtes stond een mok met rooibosthee af te koelen. Ze kon zich niet concentreren. Had Anna problemen thuis? Waarom had Robert nu ineens gevraagd of ze vaart achter het etentje met haar ouders wilde zetten? En wat hadden die problemen vervolgens met de rooklucht rondom haar zoon te maken. Els had geen enkel aanknopingspunt en kon alleen maar hopen dat de secondewijzer haar gunstig gezind zou zijn. Iedere keer als ze richting de keuken beende draaide ze zich angstvallig om, omdat ze een geluid aan de voordeur meende te horen. Als ze te lang in de woonkamer stond liep ze onrustig naar de keuken omdat ze daar weer iets dacht te horen. Niet dat het Roberts gewoonte was om via de achterdeur naar binnen te komen.

Net toen Els in de keuken haar draai naar de woonkamer maakte hoorde ze een sleutel in de voordeur. Met ingehouden adem zag ze hoe de deur openzwaaide en Robert naar binnenstapte met een jongen die er duidelijk ouder uitzag. Els begroette het tweetal en keek Timo aan en zei dat hij welkom was. "Ja, het is even een beetje raar, want we hebben elkaar nooit eerder gezien. Hoewel je er een beetje uit ziet als iemand die ik vanochtend op het schoolplein zag staan."

Timo bewonderde Els om haar scherpe observatievermogen. "Ja, dat klopt, mevrouw. Ik was vanochtend meegelopen met mijn vriendin, Laura. Misschien kent u haar wel." Els begon te stralen. "Ja, die ken ik zeker wel. Och, wat is de wereld toch klein." Het ijs was gebroken. "Kom binnen en ga lekker zitten."

Algauw zat iedereen aan een kop thee. Els had zichzelf op een derde mok getrakteerd met de intentie om het ditmaal warm op te drinken. Het gesprek kwam onwennig op gang. Het lukte niet om een luchtige inleiding te vinden. Na een tweede oncomfortabele stilte nam Els het heft in handen. "Wat is er aan de hand?" Robert keek naar Timo en wilde starten. "Laat, maar, gast. Het is uiteindelijk mijn probleem. Ik vertel het wel." Els maakte zich breed. Ze bereidde zich mentaal voor op het ergste. Roberts telefoon piepte. Hij wilde het negeren gezien de situatie. "Ik zet 'm wel even op stil," stelde hij voor. Terwijl hij dat deed zag hij een bericht van Anna. Hij las het nog maar even niet, want zowel Timo als Els keken hem verwachtingsvol aan.

"Robert heeft geen probleem. Dat wil ik als eerste tegen u zeggen." Els' gezicht ontspande. "Hij probeert mij alleen maar te helpen. Als u mijn verhaal hoort en u kunt of wilt me niet helpen, dan begrijp ik het. Ik wil u wel vragen om het dan verder tegen niemand te zeggen." Timo kuchte.

Zijn stem trilde een beetje. Hij voelde het, maar het was niet hoorbaar. Els keek nuchter. “Ik hoop dat ik je dat kan beloven. Wel even eerlijk. Als je me nu gaat vertellen dat je iemand vermoord hebt, dan ga ik dat niet geheim houden.” Timo begon te lachen. “Jullie hebben een beetje dezelfde humor volgens mij,” merkte hij op. “Nee, zo erg is het ook weer niet,” vervolgde hij. “Maar, wat ik u ga vertellen is wel ernstig.

Ik ken iemand die een foute neef heeft. Die persoon is zelf een beetje van onze leeftijd,” Timo wees naar zichzelf en Robert. “Alleen de neef van die jongen is veel ouder. Die steelt alles wat los en vast zit. Nu is er op de een of andere manier een van die dingen bij mij en die oudere neef wil me voor zijn karretje spannen.” Els begreep er niets van. Behalve dat Timo niet gelogen had over de aard van zijn probleem. “Als je wilt dat ik je help, dan moet je open kaart spelen. Wat je nu zegt is echt onduidelijk. Wie is die persoon van jullie leeftijd?” Robert slikte, legde zijn arm kort op Timo’s schouder om aan te geven dat hij nu wilde aanvullen. “Patrick.” Els schoof haar stoel naar achter. “Bedoel je Patrick-Patrick?” Robert knikte. “Ja. Die jongen waar ik last van had.” Els gooide haar haren naar achteren. “Ik vroeg vanmiddag nog naar hem.” Ze keek Robert streng aan. Ze wilde hem niet aanpakken waar zijn vriend bij was, maar het stoorde haar dat hij vanmiddag gezegd had dat hij geen last van Patrick had. “Oké,” Els schoof haar stoel weer aan. “Dus, Patrick steelt?” vroeg ze. Timo haalde het gesprek weer naar zich toe. “Nou, dat weet ik niet. Volgens mij steelt hij zelf niet. Zijn neef...” Els onderbrak hem direct. “Hoe heet die?” “Donnie,” antwoordde Timo. “Goed.” Els gebaarde dat hij verder kon vertellen. Robert keek zijn moeder bewonderend aan. Ze zat stevig op haar stoel. Hij zag aan Timo dat hij respect had voor haar en dat hij zich in het gesprek liet sturen.

“Donnie steelt volgens mij kapot veel. Ik bedoel, ik heb het zelf niet gezien, maar hij heeft altijd heel veel dure spullen, hoor ik. Echt wel een kofferbak vol. Kijk, Patrick die verkocht altijd al zijn halve huis. Die zat als kind ook altijd op een kleedje met Koninginnendag en hij raakte als enige altijd alles kwijt. Veel mensen kopen dingen bij hem. Hij krijgt veel van zijn pa en ma. Aangezien hij snel uitgekeken is op die spullen en zijn ouders kennelijk nergens naar vragen heeft hij altijd wel wat te koop. Ik heb het idee dat Donnie zijn neefjes verkooptalent gebruikt voor foute zaakjes. Ik weet zeker dat hij hem opdracht gegeven heeft om mij iets te verkopen.” “Wie is ‘hem’,” wilde Els weten. “Nou, ik bedoel dat ik zeker weet dat Donnie Patrick opdracht heeft gegeven om mij erbij te betrekken. Want, vlak voordat ik naar Patrick ging...” Timo stopte even om iets specifiek aan Robert te verduidelijken. “Weet je nog die laatste keer bij Patrick. Die schuurverkoop? Hij had het toen getwitterd.” Robert knikte.

"Nou, toen heb ik die Donnie voor het eerst gezien. Ik was daar gewoon omdat Patrick een paar hele oude spellen te koop had. Een van die spellen vond ik wel geinig. Die Donnie wilde van alles weten. Voornamelijk wie ik allemaal ken. Ik bleef dus soort van hangen."

"Iedereen was op een gegeven moment al weg, maar die Donnie zorgde ervoor dat het gezellig was en bleef maar praten. Toen liet hij ineens allemaal spullen zien die er vrij nieuw uitzagen. Sommige dingen zaten zelfs nog in een verpakking. Ik vroeg of hij die dingen gepikt had. Maar, hij gaf gewoon geen antwoord en bleef maar vrolijk doen. Er waren een paar gasten bij die vet tegen mij opkijken, dus ja, ik had achteraf gezien gewoon weg moeten gaan, maar ik wilde me niet laten kennen." Els had behoefte aan een samenvatting. "Een ogenblik. Wat je dus eigenlijk zegt is dat Donnie hoogstwaarschijnlijk spullen pikt. Je hebt geen bewijs, maar het is in elk geval dubieus hoe hij aan zijn spullen komt." Timo knikte en wachtte tot Els gebaarde dat hij verder kon vertellen.

"Ja, dus, we stonden daar. En in één keer vraagt Patrick of ik een Playstation heb. Ik zei van niet. Toen haalde hij er één en zei 'nu heb je er wel één. Hoeveel geef je ervoor?'" Timo keek of hij nog steeds de volle aandacht van Els had. Dat was zo. "Ik zei dus dat ik het ding niet wilde hebben," vervolgde

Timo, “maar toen begon die Donnie te pushen. Hij zei dat iedereen een Playstation heeft en dat een gast als ik er zeker één moet hebben. Al die gasten keken me aan. Dus, toen zei ik dat ik geen geld bij me had. Patrick zei dat ik ‘m gewoon mocht hebben. Ja, wat kon ik doen? Die gasten zouden me echt uitlachen als ik geweigerd had.” Robert begreep precies wat Timo bedoelde. Els niet. “Nou, ja, dat moeten zij weten. Maar goed, vertel verder. Ik ben hier niet om te oordelen, maar om te helpen.” Timo voelde zich gesteund en lachte kort naar Els. “Ik had het inderdaad gewoon moeten weigeren, mevrouw. U heeft gelijk. Maar ik... Nou ja...” Els vroeg hem verder te vertellen. “Ik nam het dus aan. Alleen had ik geen tas bij me dus toen zei Donnie dat hij me wel een lift zou geven. Voordat ik het wist zat ik dus met Donnie en Patrick in de auto richting mijn huis. Ik kon niet echt liegen over mijn adres, want Patrick weet precies waar ik woon. We wonen vlak bij elkaar. Ik wil dat ding weggooien, want ik wil geen gestolen spullen thuis.” Robert nam het over en zei dat Timo hem in vertrouwen had genomen om een plan te bedenken om van die Playstation af te komen. “Maar we willen ook dat Patrick zich niet laat ompraten door die neef van hem om rare dingen te doen. Hij is echt wel irritant soms, maar uiteindelijk is hij ook gewoon een jongen zoals wij. Hij wil er een beetje bij horen gewoon. Dat is alles. Volgens mij is hij heus geen crimineel, maar hij kan er wel eentje worden als hij met Donnie omgaat.”

Els zuchtte diep. “Dat is nogal wat.” “Het is nog niet alles,” liet Robert weten. Hij knikte naar Timo. “Bedoel je van die app?” vroeg hij. Robert knikte. Toen vertelde Timo dat Donnie nu ook rechtstreeks contact met hem zocht en hij liet het laatste bericht aan Els lezen.” De jongens keken elkaar opgelucht aan. Els nam een slok van haar thee die ondanks haar voornemens toch weer afgekoeld was. “En hoeveel jaar is die Donnie?” Timo vertelde dat hij eenentwintig was. “Die is dus volwassen voor de wet,” constateerde Els. “Gevoelsmatig zeg ik dat het het beste is als jij en Patrick zelf naar de politie stappen met dit verhaal.” Timo schrok. “Dan pakken ze me op. Ik bedoel ik weet niet zeker dat het gepikt is, maar ik denk het wel en ik heb het toch aangenomen.” Els zei dat er geen reden was om in paniek te raken. Robert bewonderde nog steeds zijn moeders kalmte en nuchterheid. Zo kon ze ook zijn. Hij was trots op haar. “Laten we afspreken dat ik een paar dingen uitzoek.” “Via een advocaat, zei Robert. Toch?” Els glimlachte naar haar zoon. “Ja, dat klopt. Ze is altijd heel discreet. Maar, ze is ook rechtvaardig.” Timo hoopte dat het niet betekende dat hij ’s nachts van zijn bed gelicht zou worden door een agent omdat die rechtvaardige advocaat hem verlinkt had. Hij keek bezorgd naar Robert. Els zag zijn zorgen. “Er gebeurt niks zonder dat je dat van tevoren weet. Zullen we dat in elk geval afspreken?” Timo knikte. Zijn lot lag nu in handen van Els. Ze zag er heel lief uit, maar Timo had ook door dat het niet alleen maar lief zijn was bij Els. Ze had ook de nodige pit. Dat had Laura er niet bij verteld. “Ga je gelijk bellen, mam?” vroeg Robert. “Ja, ik denk dat dat het beste is. Ik hoop dat ik haar te pakken krijg.”

DE ADVOCATE

Robert stelde voor om buiten een rondje te lopen om wat stoom af te blazen. Timo wilde liever niet van Els' zijde wijken. Het liefste wilde hij het gesprek horen dat ze met haar vriendin zou voeren. Els wilde juist de rust en ruimte om op haar gemak en in haar eigen woorden met Veronique te praten. Dit was een misdrijf. Het zou hoe dan ook een politiezaak worden. Zoveel wist ze wel. Als eerste wilde Els zekerheid hebben dat Robert daarin geen gevaar liep. Ze geloofde Timo toen die zei dat Robert er in principe niets mee te maken had, maar dat hij alleen maar probeerde te helpen. Timo kende ze niet. Hij zag er qua uiterlijk wel uit als iemand die Els liever zag gaan dan komen. Maar, hij was heel vriendelijk en maakte een rustige indruk. Het gekke was dat hij misschien wel haar schoonzoon genoemd zou kunnen worden als ze een relatie met Tom, de vader van Laura, zou krijgen. Het was allemaal erg ingewikkeld. Maar, door Timo's houding en manier van praten had Els niet het gevoel dat hij zelf ook een foute jongen was. Hooguit dat hij onder groepsdruk een stomme actie had gedaan. Hoe stom het in politietermen was wist ze niet. Van Donnie had ze het gevoel dat het allemaal zwaarder af zou kunnen lopen als het inderdaad zo was dat hij spullen stal.

Robert zette zijn telefoon weer aan en zag dat hij ontzettend veel berichten en zelfs een paar oproepen van Anna had gemist. Hij gebaarde Timo na een dwingende blik van zijn moeder om naar de woonkamer te gaan, zodat zij op haar gemak in de keuken kon bellen. Timo tuurde in zijn beeldscherm. Uit zijn gezichtsuitdrukking leidde Robert af dat hij berichten van Laura las. Het moedigde hem aan om Anna terug te bellen voor een beetje afleiding. Robert was al klaar om zijn vriendin met zoete woorden te beladen toen hij een bitse stem aan de andere kant van de lijn hoorde. "Waarom ben jij met Timo?" Ze zei niet eens gedag. "Ehm, hoi Anna. Is er iets?" Anna kalmeerde direct. Robert noemde haar meestal schatje. Nu had hij haar Anna genoemd. Ze voelde aan dat haar reactie niet goed was binnengekomen. Ze vond het zelf ook raar dat ze zo kattig had gereageerd, maar ze durfde de vraag van haar vriendje niet eerlijk te beantwoorden. Anna wist namelijk zelf ook niet goed waarom ze telkens zo geïrriteerd raakte als het over Timo ging.

"Nee, ik hoorde het via Laura. Ik had niks van jou gehoord erover. Niet dat je iedere minuut aan mij moet vertellen wat je doet. Niet dat je het trouwens van mij niet mag weten. Ik heb geen geheimen." Anna lachte nerveus. Robert begreep er weinig van. Onwillekeurig keek hij naar Timo die met een grote grijns in zijn telefoon staarde. Zo was het met Anna ook altijd. Nu voelde Robert voor het eerst irritatie richting

Anna. Hij was er niet blij mee. Timo keek op. Vlug draaide Robert zich om zodat Timo zijn teleurgestelde blik niet hoefde te zien. Robert liep richting het raam, keek nog even over zijn schouder om te constateren dat Timo steeds blijer keek, terwijl hij zich zelf juist steeds minder goed voelde. “Wat kan het jou schelen. Of, voel je nog wat voor Timo?” vroeg Robert scherp op fluistertoon. Het deed hem verdriet dat hij deze vraag moest stellen. Anna piepte met een gepeperd en perplex stemmetje dat ze niet begreep waarom Robert dat vroeg. “Waar slaat het op? Ik ben degene geweest die het uitmaakte, hoor. Dan zou ik dat toch niet gedaan hebben? Waarom zeg je nou zoiets?” Robert hoorde Laura’s stem ineens op de achtergrond. Hij baalde ervan dat ze bij Anna was. Die wist nu dus ook dat ze een woordenwisseling hadden. Gespannen luisterde hij naar wat Anna zou zeggen. Besprak ze zoveel met Laura dat ze haar ook in de ruzie zou laten delen, of zou ze het voor zich houden? Robert hoopte het laatste, maar vreesde het eerste. Hij keek weer achterom naar Timo. Die fronste nu. Robert vermoedde dat Laura met de snelheid van het licht Timo al op de hoogte gesteld had van zijn gesprek met Anna.

Robert richtte zich weer naar het raam. “We hebben het er nog wel over. Volgens mij kun je nu niet praten.” Het klonk geïrriteerd. Anna ving het op. “Bedoel je omdat Laura erbij is?” Robert humde. “Laura en ik vertellen elkaar alles. Je weet toch dat ze te vertrouwen is?" Robert spitste zijn oren. Hij kon niet geloven dat Anna Laura zo'n beetje 'live' bij hun eerste ruzie betrok. "Wat zegt-ie?" hoorde hij haar vragen. Aangezien Robert niet alleen met Anna in gesprek was kondigde hij aan de verbinding te verbreken. Hij had geen zin om geforceerd lief af te sluiten. "Bel me later maar als je alleen bent." Nadat hij ophing probeerde hij zo normaal mogelijk te kijken. Timo keek hem vol aan toen hij zich omdraaide. "Heb je mot met Anna?" vroeg hij met grote ogen. Robert vloekte inwendig. "Laat maar even gaan. Je weet hoe meiden zijn," adviseerde Timo. Vanaf dat moment begon zijn Blackberry aanhoudend te piepen. Het ene bericht van Anna na het andere volgde. Robert had geen zin om ze te lezen. "Ja, je kunt het maar beter even negeren," beaamde Timo. "Je moeder is nog steeds aan de telefoon, hè?" Robert boog achterover en probeerde langs de deurpost de keuken in te kijken. Els stond ontspannen tegen het keukenblok aangeleund. "Ja, ze belt nog steeds. Ze kijkt wel relaxed. Misschien valt het allemaal wel mee." Timo hoopte het.

Wat Robert niet zag was dat Els' blik plotseling betrok. Ze kon op het nippertje verhoeden dat haar mok uit haar handen viel. Zo erg schrok ze van wat ze Veronique hoorde zeggen. "Ik ben heel eerlijk, Els, dat weet je, maar houd er rekening mee dat Robert ook door de politie gehoord zal moeten worden. En voor wat betreft die andere jongens zie ik het toch iets somberder in dan jij. Helen wordt nu eenmaal zwaarder bestraft dan stelen." Er viel een pijnlijke stilte. "Ben je er nog?" vroeg Veronique. Els was er zeker nog, maar ze probeerde zo rustig mogelijk te blijven, terwijl ze flink geschrokken was. Het koste haar vreselijk veel moeite. Dat wist ze dus niet! In een flits gingen haar gedachten langs alle gebeurtenissen van het afgelopen jaar. Ze dacht ook aan Victor. Hij zou het haar kwalijk nemen als hij zou horen dat Robert in aanraking met de politie was gekomen. Els vreesde voor zijn reactie.

"Ja, meid, ik ben er nog. Maar eerlijk gezegd voelen mijn knieën nu heel erg wankel. Ik hoop gewoon dat die jongens eerlijk tegen mij zijn en dat straks niet ineens blijkt dat ze toch dieper betroken zijn bij die gestolen spullen dan het nu lijkt. Dan heb ik het natuurlijk specifiek over de mijne." Veronique begreep dat Els was geschrokken. "Je weet dat je me altijd kunt bellen. En, zeker in dit soort gevallen. Over dat meisje van de vorige keer, trouwens. Hebben ze nog steeds verkering?" Els vertelde dat het erg goed ging tussen Anna en Robert. Tegelijkertijd schaamde ze zich. Ze had zich voorgenomen om Veronique vaker te bellen. Nu belde ze alleen als er problemen opgelost moesten worden. En Veronique stond ook nu weer klaar. Maar Els zat om nog een grote gunst verlegen. "Ik durf het bijna niet te vragen, Veer, want ik bel volgens mij alleen maar als er iets mis is..."

Veronique onderbrak haar. “Ben je gek. Maak je nou niet druk. Je weet dat ik je graag help.”

Els zuchtte diep en hervatte moed. “Veer, meid, wil je alsjeblieft naar me toekomen? Ik wil dat je erbij bent. Jij hebt er ervaring mee. En, nu ik er van af weet kan ik niet gaan slapen met het idee dat mijn zoon mogelijk in een politiezaak verwikkeld kan raken. Ik wil meteen doorpakken.” Veronique antwoordde: “Ehm, even kijken...” Voor Els klonk dat al dreigend. “Ik weet dat ik het ècht niet kan maken, maar alsjeblieft Veer.” Els’ vriendin zou eigenlijk met haar partner en met wat gezamenlijke vrienden uit eten gaan. “Weet je Els, ik bel je zo gelijk even op. Maak je geen zorgen. Ik kom. Maar, ik moet er wel wat voor regelen. Het kan even duren voordat ik je bel. Het hangt er ook weer vanaf hoe snel ik iedereen te pakken krijg. Ga niet zitten kniezen. Zijn die jongens allemaal bij jou nu?” Els vertelde dat ze geen contact met Patrick had en hem ook niet kende, maar dat Timo samen met Robert bij haar thuis was.

Ook al wilde Els het niet zo overbrengen, zowel Timo als Robert zagen aan haar gezicht dat ze slecht nieuws had. Robert pulkte nerveus aan een velletje van zijn nagelriem. “Au!” riep hij ineens. Timo schrok en vroeg wat er was. Els knipperde met haar ogen alsof ze door Roberts geroep weer bij bewustzijn kwam. “Ja, verdomme, ik trek per ongeluk aan een velletje." Els bekeek het kleine wondje aan zijn vinger. "Dat zijn gemene wondjes," merkte Timo op. "Die doen echt vet veel pijn." Els vroeg of Robert een pleister wilde. Snel trok hij zijn hand terug. Wat moest Timo wel niet denken. "Nee," natuurlijk niet. Ik ben toch geen watje."

"Hoe ver zit ik in de problemen?" vroeg Timo. Els trok haar wenkbrauwen op, zuchtte en probeerde een vrolijke blik. Het lukte niet helemaal. "Ik ben nog in gesprek. Veronique komt zo hierheen. Het leek haar het beste om jullie zelf even te spreken. Ze heeft allerlei vragen waarop ik het antwoord niet weet, maar jullie wel. "Shit!" ontglipte het Timo. Snel gevolgd door "Sorry, mevrouw, sorry. Dat floepte er per ongeluk uit." Els leunde tegen de deurpost. "Waar schrik je precies van?" Ze keek Timo onderzoekend aan. Indringend bijna. "Kijk, ik weet heus wel dat het niet klopt met die spullen, maar nu we het met u hebben besproken en die advocate komt erbij, krijg ik een beetje het gevoel dat ik misschien toch de bak in moet. Ja, ik weet het niet. Ik voel me gewoon niet helemaal op mijn gemak." Robert zag de benauwde blik van zijn vriend. "Ik weet het ook niet," antwoordde Els provocerend. "Heb je niet alles verteld, dan?" Nu keek ze streng. Timo krabde achter zijn oren. "Ik ga niet tegen u liegen, mevrouw. Echt niet." Els liet haar armen langs haar lichaam zakken. "Weten jouw ouders dit ook?" Timo schudde zijn hoofd. "Wil je niet dat ze erbij zijn? Of, moet je niet even bellen?" Timo schudde weer.

Ditmaal heftiger. Dat nooit! Els plantte haar handpalmen weer in haar zij. "In elk geval, het kan even duren voordat ze hier is, dus in de tussentijd moeten we ons maar even zien te vermaken." Ze draaide zich resoluut om.

Robert trok zijn wenkbrauwen op naar Timo die zich op zijn beurt afvroeg of hij zijn ouders misschien dan toch moest bellen. Hij frunnikte aan zijn telefoon. Robert zag dat het een HTC was. Dezelfde als die van Laura en Anna. Bij die gedachte pakte hij zijn Blackberry uit zijn broekzak. Het bleek zijn ademcassette te zijn. "Wat is dat voor iets?" vroeg Timo. "Oh niks," antwoordde Robert en stak de cassette gauw weg. "Jij hebt zeker niet toevallig gezien waar ik mijn Blackberry heb gelaten." Robert keek zoekend om zich heen. "Nee, gast. Of, wacht, misschien bij de vensterbank? Wat nou als ik straks moet zitten of zo, gast?" Robert trok zijn schouders op. "Nee, man, dat kan toch nooit. Je hebt toch niks gedaan?" Timo lachte. "Toch?" Robert fronste. "Begin jij nou ook weer? Nee, gast, echt niets. Ik heb alles gezegd zoals het is gegaan."

Timo kreeg een bericht binnen en trok alvast een glimlach omdat hij ervan uit ging dat Laura weer een lief berichtje had gezonden of een mooie foto. Terwijl Robert naar de vensterbank liep om te kijken of zijn Blackberry daar lag, zag Timo dat hij een sms bericht had binnengekregen van een onbekend nummer: “Anna geeft nog steeds om jou. Wil je meer weten?” Timo knipperde met zijn ogen en keek bedremmeld waar Robert was. Die stond met zijn rug naar Timo toe. Hij had weer enorm veel What’s app berichten binnengekregen en één sms’je. Robert opende eerst het sms’je. Sinds Anna ook een smartphone had ontving hij eigenlijk nooit meer sms’jes. Het verbaasde hem dat hij er één had. Robert slaakte een kreet bij het lezen van het bericht: “Anna geeft nog steeds om Timo. Wil je meer weten?” Zijn hart dreunde tegen zijn borstkas alsof het daar gevangen zat en er met man en macht uit probeerde te komen. Het nummer waarvandaan het bericht gezonden was kende hij niet. Het was een heel lang nummer. Langer dan een gewoon telefoonnummer, viel hem op.

“Nou, we hoeven toch niet zo lang te wachten. Veronique belde me net. Ze is onderweg en kan ieder moment hier zijn.” Els begon de tafel af te nemen en had weer een ontspannen blik. Het luchtte haar enorm op dat haar vriendin haar kwam helpen. Timo’s moed zakte in zijn schoenen en Robert hapte naar lucht. Robert kneep in zijn ademcassette en besloot dat hij maar beter naar het toilet kon gaan om er even in te ademen. Zijn nieuwe beste vriend zou misschien wel door zijn bemoeienis in de bak terecht komen. Hij twijfelde eraan of het wel slim was geweest om zijn moeder erbij te betrekken. Nu voelde hij zich verantwoordelijk voor wat er komen zou. Misschien hadden ze die Playstation gewoon in een openbare prullenbak moeten dumpen. En, nog veel erger, zijn nieuwe beste vriend zou misschien alsnog zijn grootste rivaal worden als bleek dat Anna hem inderdaad nog niet helemaal los had gelaten.

Timo was in de war. Hij dacht dat hij Anna achter zich gelaten had. Nu was hij verliefd op Laura. Maar, zonder te weten of de boodschap van het sms'je ook echt waar was voelde Timo toch ook dat hij helemaal gelukkig werd van het idee dat Anna weer verkering met hem zou willen. De situatie was wel heel lastig. Hij was hard op weg om bloedbroeders met Robert te worden. Timo las het bericht nog een paar keer. Telkens keek hij bezorgd op om te kijken of Robert niet toevallig in zijn richting keek. Alsof Robert aan zijn gezicht zou kunnen zien dat hij een sms'je van Anna had ontvangen. Tenminste, was het wel van Anna? Er stond Anna geeft nog steeds om jou, niet 'ik geef om jou'. Het drong tot Timo door dat iemand anders het geschreven moest hebben. Zijn geluksgevoel nam af. Zou het misschien een stomme grap kunnen zijn? Wie zou zoiets doen? Timo kon geen vijanden bedenken. Behalve dan... misschien... Polle? Zijn neef. "Nee, dat kan echt niet," mompelde hij. "Wat?" vroeg Robert. Timo keek dwars door Robert heen, keek vervolgens Robert aan en zag een gespannen blik op zich gericht. "Sorry gast, ik was volgens mij even in Verweggiestan." Robert liet zich tot een bulderlach uitnodigen. Dat klonk grappig. Hij had dat woord lang niet meer gehoord: Verweggiestan. Het luchtte op.

“Weet je, ik zit eigenlijk ergens mee,” zei Robert toen ze uitgelachen waren. Ze keken weer ernstig. “Kijk, we waren altijd al cool. Toch?” Timo knikte zonder te weten waar Roberts verhaal heen zou gaan. “Nou, toen kwam dat met die neef van jou. Ja, dat was gewoon een vergissing. Nu gaan we weer goed met elkaar om. Maar, ik weet het niet. Soms ben ik gewoon bang dat je op een dag Anna van me af gaat pakken.” Robert begon te zweten. Hij voelde het heel warm en klam worden onder zijn oksels en het zweet liep over zijn rug. Misschien werkte het met vriendschappen ook zo als met verkering, hoopte Robert. Dat je alles aan elkaar kunt vertellen en elkaar ook helpt. Hij dacht aan een nummer van Jan Smit wat hij op de radio had gehoord toen hij met zijn moeder in de auto zat. Niet dat hij fan was, maar het liedje over vriendschap sprak hem wel aan. Het ging over een vriend die pijn kan verzachten als je het zelf even niet meer wist. Zoiets.

Timo stond in zijn telefoon te kijken. Robert begreep het niet. Werkte het dan toch niet zoals in dat liedje? Hij vertelde een groot probleem aan zijn beste vriend en die had alleen maar oog voor zijn telefoon. Met overslaande stem riep hij gefrustreerd “Wat zit je nou in die HTC te staren, man?”

Timo hief een sussende hand op en stapte dichterbij. "Gaat alles goed, jongens?" vroeg Els. Ze stond nu in de deurpost en keek vragend. "Ja, mam, niks aan de hand. We staan gewoon even te praten." "Oh, oké. Willen jullie nog iets hebben?" Timo schudde van niet. Robert ook. Hij probeerde ontspannen te kijken om de zorgelijke blik van zijn moeder overbodig te maken. Het lukte. Ze liep weer terug naar de keuken.

"Niet zo gestrest, gast. Ik ga je bewijzen dat je mij gewoon kunt vertrouwen. Ik wou je juist iets laten lezen." Onbewust stak Robert zijn hand in zijn zak en klemde zijn ademcassette vast. Die had hem even daarvoor op het toilet al gerust gesteld. Timo hield zijn beeldscherm richting Robert en liet hem het gewraakte sms'je lezen. Toen stak Robert zijn hand in zijn andere zak en pakte zijn Blackberry terwijl hij zei: "Die heb je zonet binnengekregen, zeker?" Timo knikte. "Ik ook. Kijk maar." Nu trok Timo's gezicht dicht. "We worden genept," was zijn conclusie. "Iemand probeert ons tegen elkaar uit te spelen," oordeelde ook Robert. Nu moest hij lachen. Wat was het toch heerlijk om een zware zorg gewoon maar van je af te lachen. Timo voelde hoe tijdens het lachen zijn gevoel van kameraadschap groeide. Ook voelde hij teleurstelling dat Anna kennelijk niet echt nog steeds om hem gaf. Hij zette het van zich af. Laura was nu zijn meisje. En wat voor één.

Hij dacht aan haar en merkte dat hij toch meer blijdschap voelde bij de gedachte aan Laura dan aan Anna.

"Die gaan we dus vet terugpakken," bedacht Timo. Robert bloeide helemaal op bij het vooruitzicht dat hij samen met Timo aan het oplossen van dit probleem zou gaan werken. Nu hielpen ze elkaar. Precies zoals Jan Smit het gezongen had. Ik heb vrienden voor het lee-hee-ven zong het door Roberts hoofd. Hoe het verder ging wist hij niet precies, maar nu wist hij wel zeker dat Timo zijn bloedbroeder was. Nu kon Robert erom lachen dat hij al die tijd jaloers was geweest op Timo. Dat kwam gewoon omdat hij ook gezien had hoe Anna naar Timo's gespierde bovenlichaam had gekeken. Robert was niet jaloers meer. Hij was per slot van rekening ook begonnen met opdrukken. Hij deed het 's ochtends en 's avonds. Direct na het opdrukken keek hij steeds in de spiegel om te zien of er al resultaat zichtbaar was. Dat was nog niet zo, maar hij was nu meer dan daarvoor gemotiveerd om ermee door te gaan. En, als hij heel goed naar zijn gezicht keek dan zag hij ook al, in de schaduw onder zijn neus, het prille begin van een snorretje. Althans dat vond hij. Binnenkort zou hij er net zo cool uitzien als zijn beste vriend. "Jongens, komen jullie er even bij. Veronique is aan het parkeren." Timo zag nog gauw kans om naar zijn maat te knipogen en alvast in de week te leggen dat ze degene die verantwoordelijk was voor deze stomme grap niet zouden laten merken dat ze van elkaar wisten dat ze het sms'je hadden ontvangen. Robert had nog even naar Timo gefluisterd dat die persoon nog eens verbaasd zou opkijken. Toen stapte Veronique binnen en bracht de jongens met een plechtig gezicht weer tot de orde van hun zwaardere problemen. "Nu wordt het echt," zei Timo met een onzekere stem en voelde het probleem nu zwaar op zijn schouders drukken.

Een wijk verder lag Anna op bed. In tranen. Ze voelde zich gebroken en alleen. Haar ruzie met Robert voelde onaangenaam. Laura wilde alles weten van minuut tot minuut, maar had geen concrete adviezen. "Moet ik 'm nog een keer bellen, denk je?" had Anna gevraagd. "Dat heb je nu al duizend keer gedaan. Volgens mij is het nu toch echt uit," had Laura met een bits stemmetje gezegd. Volgens haar was het een slecht teken dat Robert haar als beste vriendin van zijn vriendin niet accepteerde. Volgens Laura kon dat uiteindelijk alleen maar tot een breuk leiden. Dat had ze zelf gelezen in de meidenmagazines. Anna had op een gegeven moment gewoon maar niet meer geluisterd naar wat Laura allemaal aan uitleg had over vriendschap en verkering. Ze herhaalde bij zichzelf de gedachte die ze met Terence had willen delen. Soms vond ze Laura echt heel gemeen. Laura had haar eigenlijk helemaal niet getroost. Dat vond Anna nog het meest vervelend.

Naar Joyce kon ze niet. Die vond al meteen vanaf het begin de verkering van Anna en Robert veel te serieus. Die snapte er helemaal niets van. Anna's tranen raakten in een stroomversnelling toen ze dacht aan hoe verlegen Robert juist was en dat zij zijn eerste vriendinnetje was, hoe onwennig alles voor Robert was. Ze glimlachte door haar tranen toen ze naging hoe rood de blosjes op Roberts wangen moesten zijn geweest toen hij zijn zorgen met haar deelde over zijn erecties en dat hij bang was dat ze hem een viespeuk zou vinden. Toen ze aan hun ritje op de kinderwip in het speeltuintje bij school dacht en de oude vrouw met haar gevaarlijk keffende hondje wist ze zeker dat ze Robert niet kwijt wilde. Ze wilde zoveel tegen hem zeggen, maar hij nam maar niet op en beantwoordde haar appjes niet meer. Was hij dan echt zo boos? Of, nog erger, teleurgesteld? Waarom wilde hij niet met haar praten?

Vroeger zou ze zo naar zijn huis zijn gegaan om te praten. Op die manier had ze hun verkering al een keer eerder gered. Maar nu zat Joyce beneden als een soort gevangenis-bewaarder. "Als het uit gaat is het jouw schuld!" schreeuwde Anna voor zich uit. In de hoop dat Joyce het zou horen en naar boven zou komen voor een gesprek waardoor ze zou begrijpen dat ze Anna's leven onmogelijk maakte. Joyce moest vooral niet denken dat Anna naar haar toe zou gaan. Desnoods zou ze voor eeuwig op haar bed blijven liggen.

Robert zou via het raam stiekem naar haar toe kunnen komen. Dat klonk romantischer dan uitvoerbaar. Dat wist Anna ook. Maar ze was boos en heel erg verdrietig en alleen. Laura's berichten beantwoordde ze ook niet meer. Ze vond dat Laura wel wat vriendelijker mocht zijn. Als het echt iets zou worden tussen Els en Tom dan zouden ze schoonzusjes worden. Robert zou dan haar nieuwe broer worden. Begreep ze dat niet? Of wilde Laura misschien wel op slinkse wijze van haar af, omdat ze Timo's ex was? Als Laura haar als bedreiging zag en een geniepige *catfight* wilde starten, dan kon ze die krijgen ook! Anna ging rechtop zitten. Veegde haar tranen weg en ging aan haar bureau zitten. Ze drukte op de aan-knop van haar pc. Ze had een plan.

DE VADER VAN PATRICK

Veronique zuchtte diep toen ze Els had aangehoord en haar verdere vragen beantwoord kreeg via Robert en Timo. Toen tikte ze met haar pen tegen haar kin, terwijl haar ogen op haar aantekeningenboekje gericht stonden. "Wat is de achternaam van Patrick?" vroeg Veronique. Timo keek Robert vragend aan. "Noteboom," antwoordde hij. "Ja, van de presentielijst," lachte hij verklarend naar Timo. Alles was nu gezegd. Ieders ogen waren nu verwachtingsvol op Veronique gericht. Ze schreef Patricks achternaam op en zette er toen een paar dikke strepen onder. "Het zal toch niet waar zijn?" zei ze. Els hield het bijna niet meer. In haar meest angstige gedachten had ze Robert al vaarwel gezegd terwijl een cipier de toegang tot zijn cel vergrendelde. Haar kalmte was helemaal opgebruikt. Nu namen haar zenuwen weer de overhand.

Veronique was heel rustig. Ze lachte lichtjes en fronste toen even. "Ik heb een collega die Noteboom heet. Hij heeft ook een zoon van dertien. Maar..." Ze wilde zeggen dat die niet van het rechte pad af kon zijn. Gelukkig bedacht ze zich heel snel dat het niet echt tactisch was om dat hardop te zeggen. Het was duidelijk dat zowel Robert, Timo als Els niet bepaald op hun gemak zaten. Veronique zei daarom: "Vooropgesteld wil ik jullie complimenteren met jullie eerlijkheid. Ik zal ook eerlijk zijn in mijn advies aan jullie." Robert deed zijn best om zo kalm mogelijk te blijven ademen. "De heler wordt in dit soort gevallen altijd zwaarder gestraft dan degene die gestolen heeft." Veronique hapte net naar een beetje lucht om haar verhaal verder te vertellen toen Robert er totaal van slag tussendoor denderde. "Wat?!" riep hij uit. "Dat kan toch niet! Hoe kan dat nou? Die Donnie pikt hele dure spullen en laat anderen ervoor opdraaien die jonger zijn dan hij. Daar komt hij dus mee weg zegt u?" Els voelde het als haar rol om haar zoon tot de orde te roepen, maar ze deelde zijn verbazing en keek Veronique daarom vol ongeloof aan. "Ja, dat kan toch niet waar zijn, Veer?"

Veronique keek van de ene trillende stem naar de andere. "Ik begrijp dat jullie van je stuk zijn, maar ik heb beloofd eerlijk te zijn. Het is natuurlijk niet zo dat ik bepaal wie welke straf krijgt. De politie ook niet. De rechter zal het bepalen. De vraag is natuurlijk of hier sprake is van diefstal en van heling, en zo ja, door wie? De politie zal eerst achter de waarheid willen komen." Het duizelde Timo even. Zoveel informatie kon hij niet gemakkelijk volgen. "Sorry, mevrouw, maar wat bedoelt u precies? Ik heb niks verkocht. Dat is sowieso de waarheid." Veronique legde uit dat ze dat niet bedoelde. "Het gaat er in feite niet eens om of ik jullie geloof. Laten we eerlijk zijn. Ik geloof jullie heus wel. Nee, ik had Patrick in mijn achterhoofd toen ik dat zei. Jullie vertellen allebei dat Patrick spullen vanuit zijn schuur verkoopt. Zowel spullen die van hemzelf zijn als spullen die waarschijnlijk door Donnie gestolen zijn. Heet hij trouwens ook Noteboom van achteren?" Robert keek nu vragend naar Timo. "Ik weet het echt niet. Ik ken hem verder niet." Veronique tekende een groot vraagteken bij Donnie's voornaam in haar aantekeningenboek met leren omslag.

Robert vond het opvallend dat Veronique bij het horen van de achternaam van Patrick een lachje leek te onderdrukken. Het was toch een lachje? Had hij het goed gezien? Hij keek naar haar. Ze sprak met veel moeilijke woorden. Nu was Robert wel wat gewend. Zijn moeder kon er af en toe ook wat van. Of meneer Douwes. Hugo zei vroeger wel eens tegen Robert dat hij normaal moest praten. Dat begreep Robert nooit. Hij dacht dat hij normaal sprak. "Je lijkt af en toe wel een 'gladbekker', man." Wat zou Hugo over Veronique zeggen. Dat ze ook een 'gladbekker' was? Zo noemde Hugo mensen die veel moeilijke taal gebruikten. Mensen in de politiek deden dat ook. Hugo had van zijn vader gehoord dat zulke mensen niet te vertrouwen waren. Volgens zijn vader wilden ze je stem hebben en daarna lieten ze je vallen. Zou Veronique ook zo zijn? Ze zat alleen niet in de politiek.

“Wat mij betreft wil ik hier nog een paar mensen bij betrekken,” hoorde Robert ineens. Hij keek in zijn moeders strenge ogen. Het gebeurde hem vaker dat hij door zijn eigen gedachten afgeleid werd. Hij keek opzij naar Timo. Die staarde voor zich uit. Weer keek hij naar Veronique. Ze maakte wel indruk. “Ik wil sowieso mijn collega raadplegen. Als Patrick zijn zoon is, voel ik me verplicht om hem niet alleen als vader, maar zeker ook als collega hierin te betrekken. Dat zou ik andersom ook gewild hebben. Verder vind ik ook dat jouw ouders...” Veronique keek Timo nadrukkelijk aan terwijl ze nog altijd met haar pen tegen haar kin tikte, “er ook bij moeten zijn. Want, het is duidelijk dat jullie hiermee zelf naar de politie moeten gaan. Daar win je punten mee. Die punten heb je nodig. Als je gepakt wordt dan ben je zuur. Heel zuur.” Veronique zorgde ervoor dat haar woorden als een terechte dreiging herkend werden. De boodschap kwam snoeihard aan.

“Jullie moeten morgen naar school en ik heb een afspraak waar ik nu ook echt naar toe moet. Laten we afspreken dat we elkaar hier morgen over spreken. Wat vinden jullie daarvan?” Els voelde zich een beetje in de steek gelaten. Ze had van tevoren gezegd dat ze nooit zou kunnen slapen als ze dit niet meteen zouden regelen. Natuurlijk begreep Els dat ze dit wel goed moesten aanpakken. Tegelijkertijd vroeg ze zich af of Patrick, de etter in het hele verhaal nu ineens met fluwelen handschoenen aangepakt zou gaan worden omdat zijn vader toevallig advocaat was. Ten koste van wie zou dat dan gaan? Veronique had haar afspraak toch afgezegd? Waarom nu plotseling zo'n haast? Timo vreesde voor zijn stukje huiswerk. Zijn ouders op de hoogte stellen vond hij heel moeilijk. Ze hadden het thuis al zo zwaar. Dit zou een grote tegenvaller voor hen zijn. Hij voelde het verdriet van zijn vader al aankomen. Dat was een hele emotionele man. Van zijn moeder verwachtte hij iets minder emoties. Zij was heel nuchter. Voor zijn oma wilde hij dit alles geheim houden.

Robert voelde zich boos. Boos omdat hun eerlijkheid misschien wel een stukje oneerlijkheid in het hele rechtssysteem aan het licht zou brengen ten koste van zijn leeftijdsgenoten. Tot op het moment dat ze Veronique hadden gesproken was hij er eigenlijk wel een beetje van overtuigd dat Donnie gepakt zou worden en dat Patrick misschien een boete zou krijgen of een taakstraf omdat hij minderjarig is. Of gewoon een waarschuwing. Hij was een keer zijn ov chipkaart vergeten in de metro. De conducteur knipoogde en zei: "Ik zie je hier wel vaker. De volgende keer moet je hem bij je hebben." Daar was hij al zo van geschrokken. Sindsdien vergat hij het nooit meer. Alles liep nu helemaal anders.

Els wist niet wat ze moest doen. Als ze in het bijzijn van de jongens Veronique zou smeken om te blijven zou dat niet goed overkomen. De jongens waren nu al zo aangeslagen. Het hielp niet om als volwassene in paniek te raken. Maar, Els was niet blij met de situatie. Andere advocates kende ze alleen niet. Dus, ze hadden het er maar mee te doen. Veronique vroeg hoe laat iedereen uit was de volgende dag. "Laten we dan op mijn kantoor afspreken om vier uur," stelde ze voor. "Daar heb ik alles bij de hand. Kunnen jullie ouders dan ook?" Zonder te weten wat 'alles' precies betekende stemde iedereen beduusd in met haar voorstel. "Ja, zal wel moeten hè," zei Els. Ze probeerde met haar ogen naar Veronique te signaleren dat ze niet blij was met de gang van zaken, maar Veronique leek de hint niet binnen te krijgen.

Timo had nog nooit zo zwaar opgekeken tegen de weg naar zijn huis. Robert merkte dat hij moeite had zijn boosheid kwijt te raken. Het liefst wilde hij ergens een harde klap op geven of tegenaan schoppen. Wat had mevrouw de Witte ook alweer gezegd? Robert besloot haar advies op te volgen en zei dat hij een wandeling ging maken. "Nou, ik heb liever dat je nu thuis blijft," wierp zijn moeder tegen. Els nam de drie afscheidszoenen van haar vriendin met moeite in ontvangst. Ze voelde zich verraden. Ook al was er geen enkel concreet bewijs dat Veronique eerst samen met Patricks vader de kolen uit het vuur wilde halen voor zijn zoon, voordat ze Els en haar zoon wilde helpen. Het voelde gewoon niet goed bij haar. Robert wachtte met grote onrust tot Veronique en Timo afscheid genomen hadden. De laatste kreeg een boks en de belofte "We appen, oké," mee.

Timo draaide zich buiten nog een keer om naar Veronique. "Bedankt dat u ons wilt helpen, mevrouw. Maar, ik moet eerlijk toegeven dat mijn ouders niet veel geld hebben. Ik wou het net niet zeggen, maar, ze kunnen u nooit betalen." Veronique knipoogde naar hem en zei dat het helemaal goed zou komen en dat hij zich geen zorgen om geld hoefde te maken. Ik heb nog wel wat ruimte voor 'pro Deo' zaken," lachte ze en stapte toen in een dure sportwagen die Timo met diepe bewondering en tussen zijn tanden fluitend nakeek. Hij had geen idee wat 'pro Deo' betekende. Thuis zou hij het wel even nakijken.

Dat Patrick ondanks het verkopen van gestolen spullen zonder straf met zijn gedrag weg zou komen leek Timo nu een feit. Had ik ook maar rijke advocaten als ouders, bedacht hij grimmig. Weer kwam hun oorspronkelijke idee in zijn hoofd om de rode Playstation in een prullenbak te dumpen. Dat was de makkelijkste weg geweest. Tegelijkertijd wist Timo dat het niet zo was. In de metro las hij nog eens het laatste appje van Donnie na. Nee, met dat soort gasten wilde hij niks te maken hebben. Het was eigenlijk toch goed dat ze nu naar de politie stapten. Timo wist zeker dat hij niks verkocht had. Dus, wat er ook zou gebeuren. Voor hem zou het toch eigenlijk wel mee moeten vallen. Blij om deze gedachte stapte hij de metro uit om vervolgens toch met klamme handen de klink van zijn voordeur vast te pakken.

In de tussentijd wilde Els haar zorgen met Robert delen. “Ik moet echt even naar buiten, mam. Ik heb het benauwd.” Dat was het toverwoord. Meestal liet zijn moeder hem gaan. Maar dit keer zei ze: “Laten we dan even in de tuin gaan staan, Robert, lieverd. Ik moet je echt even spreken.” Robert zag de vastberaden blik in de ogen van zijn moeder. “Wil je thee meenemen?” Robert schudde verveeld zijn hoofd. Hij wilde gewoon naar buiten. Nu. Els opende de tuindeur. De verkoelende lucht drong zijn oververhitte lichaam binnen en doofde langzaam het vuur dat daar woedde. Toen Els na enkele minuten inschatte dat haar zoon zich weer een beetje rustig voelde zei ze: “We hebben nog niks gegeten, maar ik heb ook gewoon echt geen honger. Jij?” Robert schudde zijn hoofd. Eten was wel het laatste waar hij nu aan dacht. “Wat is er mam? Je kijkt heel bezorgd. Toen Veronique zei dat ze weg ging leek het wel alsof je een spook zag.” Els wist niet dat haar zoon het opgemerkt had. Ze had het kunnen weten. Robert nam elk detail waar.

“Ik denk dat we zelf naar de politie moeten stappen.” Els besloot maar gewoon met de deur in huis te vallen. Robert keek haar niet begrijpend aan. “We gaan toch morgen...” Hij kon zijn zin niet afmaken. “Ik ben jouw moeder en uiteindelijk maak ik me alleen zorgen om jou. Timo wil ik ook nog steeds helpen, maar je hoorde wat Veronique zei toch? De heler wordt zwaarder gestraft dan de dief. De vader van Patrick zal daarom alles op alles zetten om zijn zoon vrij te pleiten. Ik bedoel, dat zou ik voor jou ook doen. Als hij zich ermee gaat bemoeien, wie weet met welk verhaal Patrick en Donnie dan ineens aankomen. Ik heb er gewoon geen goed gevoel over.” Robert voelde een koude rilling over zijn rug lopen. Hij begreep zijn moeder wel. Zelf had hij ook geen gerust gevoel bij Veronique.

Waarom was alles altijd zo ontzettend ingewikkeld. Kon het dan nooit eens gewoon relaxed zijn? “Ze is toch jouw vriendin, mam? Vertrouw je haar niet meer? Toen met Anna had ze toch ook alles goed geregeld?” Els knikte langzaam en tuitte haar mond en keek streng. “Toen was er geen zoon of dochter van haar collega in het spel. Als ik diep in mijn hoofd graaf dan meen ik me te kunnen herinneren dat haar baas Noteboom heet. Volgens mij weet ik het zeker. Die firma waar zij werkt heet Noteboom, Lloyd en Pendelman. Zij wil al een poosje mede-eigenaar worden. Dit ziet ze misschien wel als haar grote kans om dat voor elkaar te krijgen. Dat gun ik haar ergens zelfs ook wel. Ze is erg goed en super ambitieus. Maar, nooit en te nimmer over de rug van mijn kind. Dat risico kan ik niet nemen, Robert. Woont Timo ver weg? Ik ga desnoods naar zijn ouders om ze ervan te overtuigen dat we nu met zijn allen aangifte moeten gaan doen tegen in elk geval Donnie. En het verhaal van Patrick moeten we natuurlijk ook vertellen. En, als zij niet mee willen dan gaan we samen, Robert. Je zit net in een behandeling bij mevrouw de Wit. De scheiding en alles hebben we eindelijk achter de rug. Dit kunnen we er gewoon niet bij hebben. Toch?" Els vatte zijn kin in haar handpalm, zoals ze dat vroeger wel eens deed toen hij een jong kind was. Ze keek hem aan met ingehouden verdriet en vroeg: "Lieverd, heb je me ècht alles verteld?" Robert knikte mak. Els geloofde haar zoon voor de volle honderd procent.

Robert zuchtte diep en voelde hoe zijn middenrif onwillekeurig uitzette waardoor de lucht huiverig uit zijn lijf omhoog kwam. Hij zag voor zich hoe zijn moeder, die toch altijd een beetje een gillerige stem had als ze zo in paniek was voor Timo's deur zou staan tieren net zo lang tot ze naar binnen mocht. Robert wist één ding zeker. Timo zou dat nooit willen. Zeker niet voor zijn oma. Die had rust en stilte nodig. "Ik heb zijn telefoonnummer, mam. Bel dan liever en vraag dan naar zijn ouders." Els zei dat ze haar telefoon wel even zou gaan pakken. "Nou, neem liever de mijne. Als hij mijn nummer ziet dan neemt hij wel op. Als je met een onbekend nummer belt, dan denkt hij misschien dat je Donnie bent. Of, een stoker, bedacht Robert bij zichzelf. Timo en hij hadden nog niet kunnen achterhalen wie de persoon was die hun beiden het idee wilde geven dat Anna nog iets in Timo zou zien. Hoe graag hij daar achteraan wilde. Nu had hij andere zorgen aan zijn hoofd.

"Wacht, ik bel hem zelf wel even. Dan geef ik hem aan jou," stelde Robert voor. "Zullen we trouwens naar binnen gaan, mam. Het gaat wel weer en het is best koud." Timo nam op en zei meteen: "Ik kan nu niet praten. Ik heb het net aan mijn pa en ma verteld." Robert spitste zijn oren. Het was doodstil op de achtergrond. Als de situatie andersom had plaatsgevonden dan zou Timo een tierende en gillende Els op de achtergrond gehoord hebben. Voor de zekerheid vroeg Robert: "Ben je nu nog thuis, dan?" Timo bevestigde het. "Mijn moeder wil heel graag jouw moeder spreken." Timo's ogen lichtten op aan de andere kant van de lijn. "Dat komt vet goed uit, gast. Mijn moeder zei net dat ze jouw vader en moeder wou spreken. Ja, ik zei natuurlijk dat jouw ouders gescheiden zijn. Dus, maar nou, zal ik haar meteen geven dan?" De opluchting in Timo's stem was goed hoorbaar. Even later zaten Els en Connie in een spannend gesprek verwikkeld. Timo keek de woorden uit zijn moeders mond en baalde er tegelijkertijd van dat hij zijn berichten niet kon checken. Timo's vader zat met een rode Playstation op zijn schoot naar de vloer te staren. Hij schudde af en toe zijn hoofd en leek onhoorbare woorden te spreken. Het viel Timo nog mee dat zijn vader voor zijn doen zo rustig was. Ook Roberts pupillen pinden ieder woord vast dat uit zijn moeders mond stroomde. Hij kon aan de hand van zijn moeders antwoorden raden wat de reactie van Timo's moeder moest zijn. Kennelijk vond zij het net als zijn eigen moeder een erg goed idee om nog die avond naar de politie te gaan. Robert veegde gauw een sliertje slijm weg dat langs zijn kin drupte. Zo geconcentreerd stond hij mee te luisteren.

"Nou, dan rijden we gewoon achter elkaar aan vanaf de rotonde. Oké, tot dan." Els kantelde de telefoon richting haar zoon en keek onderzoekend naar het beeldscherm. "Hoe hang ik op?" fluisterde ze. Robert nam zijn Blackberry terug en tikte op een rood horentje. "Oh, dat is net als bij mijn telefoon," lachte Els dommig. "Geeft niks, mam." Els bloosde alsnog. "Nou, je hebt het gehoord, lieverd. We gaan meteen. Connie vond het ook maar het beste om meteen te gaan." Robert vond het knap van zijn moeder dat ze ondanks haar boze gevoel richting Veronique niets negatiefs over haar zei tegen de moeder van Timo. "Moet je Veronique dan niet bellen?" Els gaf geen antwoord. Ze zocht van alles, haar sleutels, tas, schoenen. Ook vroeg ze zich af of ze zo wel aan kon komen. Robert begreep niet dat zijn moeder zich afvroeg of ze andere kleding aan moest om naar het politiebureau te gaan. Hij liet zijn moeder maar even gaan. “Ja, ik heb alles. Kom, lieverd. We gaan.” Bij de deur draaide ze zich abrupt om en besloot toch nog andere schoenen aan te doen. Robert haalde zijn schouders op en liep alvast de voortuin in. Daar was het toch net iets minder koud dan in de achtertuin. De voortuin lag op het zuiden. In de zomer werd de voordeur gloeiend heet. Hij keek omhoog en zag een klein koolmeesje. Even later nog één. Hij lachte. Zijn kleine gevederde kameraadje had kennelijk een vriendinnetje. Net als hij?

Als Anna dit allemaal zou horen. Was ze dan zijn vriendin nog wel? Als het aan hem lag wel. Hij had ook best minder hatelijk kunnen reageren, vond hij nu. Robert moest echt wennen aan Anna’s vriendschap met Laura. Hij keek op zijn Blackberry en zag dat hij meer dan tien What’s app berichten had ontvangen. Die moesten haast allemaal wel van Anna zijn. Hij zag ook twee kleine vogeltjes in zijn beeldscherm. Dat betekende dat hij nieuwe vermeldingen op Twitter had ontvangen. Nu had hij meer dan ooit de behoefte om zijn vriendin te bellen. Dit keer had hij ook een vriend met wie hij een geheim had, want hij kon Anna onmogelijk gaan vertellen wat er nu was gebeurd. Ze zou het zelf niet direct doorvertellen, maar als Laura erbij was, dan lag het verhaal meteen op straat. Hij keek snel door zijn tweets. Ze waren van Hugo. “Ben hopeloos in luv, gast. #hopeloos. Ghe ghe ghe.

#professor je weet wel." In zijn volgende tweet vroeg hij zich af bij wie ze zouden afspreken in het weekend. Robert vond het grappig. Hugo draaide helemaal bij. Vroeger noemde hij jongensachtige meisjes 'twijfeltieten'. Toen leerde hij Anna kennen. Slimme mensen, of wel 'gladbekkers', moesten volgens hem normaal doen en nu had hij zelf een slim vriendinnetje. Straks bleef er weinig over van zijn zelf verzonnen woorden. Hugo gebruikte ze ook vaak als ze elkaar gingen dissen. De afgelopen tijd had Robert veel geoefend. De volgende keer als ze zouden gaan dissen dan wilde hij het woord 'gladbekker' gebruiken.

Roberts ogen gleden nu door zijn What's app berichten. Hij wilde gewoon even Anna's stem horen, zeggen dat hij niet boos was en vragen of het nog aan was. Els kwam haastig naar buiten gelopen en bleek niet alleen andere schoenen aan te hebben, maar ook een broek. "Ja, een jurk leidt maar af," vond ze. Robert begreep die opmerking niet, maar stapte in de auto en zei dat hij Anna ging bellen. "Ach, ja, Anna, helemaal vergeten te vragen. Wat vind zij van de hele situatie?" In afwachting van een reactie startte Els de auto, gaf gas en remde direct weer, omdat haar versnellingspook nog in de eerste versnelling stond. Bijna zaten ze tegen de auto aan die voor hen geparkeerd stond. "Ma-ham!" riep Robert en keek zijn moeder angstig aan. Intussen ging de telefoon al over aan de andere kant. Met zijn allerzachtste stem begroette hij Anna die meteen in snikken uitbarstte en zei dat ze naar hem toe had willen komen maar dat Joyce haar het huis niet uit liet gaan. “Jij neemt maar niet op. Ik ben een gevangene in mijn eigen huis. Zo erg is het nu,” jammerde Anna. Dat klonk even heel gek in Roberts oren. Misschien besefte hij nu pas echt dat hij onderweg was naar een politiebureau. “Ben je alleen?” vroeg Robert. “Ja, natuurlijk. Je denkt toch niet dat ik het gezellig mag hebben van die gevangenisbewaarster.” Robert moest bijna lachen. “Je bent toch niet meer boos, schatje,” piepte Anna aan de andere kant. “Nee,” zei Robert. “Ik was sowieso niet boos. Ik baalde er gewoon van dat die Laura weer overal met haar neus bovenop zat. En, ik snapte gewoon niet waarom jij zo kattig deed omdat ik met Timo was.” Anna zei dat ze het ook niet snapte.

“Hebben jullie ruzie gehad?” hoorde Robert naast zich. “Is dat Els?” hoorde hij aan de andere kant. “Ja,” antwoordde hij. Dat was antwoord op de vraag van zowel zijn moeder als Anna. Els reed nu met haar hand voor haar mond. Het kostte haar moeite om haar ogen op de weg te houden. “Is het nu weer goed?” fluisterde ze nog eens bezorgd. “Toch niet door...” Robert onderbrak zijn moeder, zette de microfoon van zijn Blackberry even uit en beet zijn moeder toe dat hij recht op privacy had. Om haar toch ook gerust te stellen en omdat hij oprecht blij was lachte hij meteen en zei dat het allemaal niks voorstelde en dat het nog steeds aan was. Els woelde even door zijn haar en legde snel haar hand weer op het stuur omdat de auto nog steeds naar rechts trok als ze het stuur los liet. Met gedachten die ineens helemaal terug gingen naar haar eigen eerste ruzie met haar eerste vriendje bereikte Els de rotonde.

Robert zat intussen niet meer met Anna aan de telefoon. Om te zien hoeveel tijd er verstreken was keek Els op de klok. Op de één of andere manier waren er vier minuten voorbij gegaan zonder dat ze Roberts gesprek gehoord had. Zo ver weg was ze met haar gedachten. Maar nu was ze weer helemaal terug. Robert keek rustig om zich heen met een lichte blos op zijn wangen en de naweeën van een vrolijke lach om zijn mondhoeken. Dat stelde Els gerust. "Dus alles is weer goed?" vroeg ze voor de zekerheid. Robert lachte en knikte. Ze keken beiden om zich heen. "Welke kleur auto?" vroeg Robert. "Zwart," antwoordde Els en keek hopeloos om zich heen. "Had ik het kenteken maar gevraagd. Ik geloof dat de zwarte auto's in de aanbieding waren." Met één hand in het haar keek ze om zich heen. "Hé, die mensen daar..." begon Robert en draaide zijn hoofd weer om. Els keek via haar achteruitkijkspiegel en zag wie Robert bedoelde. "Ze staan alleen maar naar de rotonde te kijken." Toen stapte er nog iemand uit. Els zat intussen op de afslag naar hen toe toen Robert Timo herkende. "Ja, zie je, dat zijn ze." Robert vond dat de moeder van Timo een strenge gestalte had. Zijn vader stond met zijn hoofd omlaag en zijn schouders naar voren gebogen. Timo keek in zijn HTC'tje. Robert zag hoe zijn duim over het beeldscherm gleed. Aan de glans op zijn gezicht kon Robert al zien dat hij een bericht van Laura aan het lezen was. Toen maakte Robert zich even zorgen. Timo zou Laura toch niets verteld hebben. Hij wist natuurlijk nog helemaal niet hoe Laura was.

Aan de andere kant van de stad reed een advocate in haar dure Cabriolet. Ze had haar etentje met haar partner en wat vrienden nu definitief afgebeld. In plaats daarvan had ze de heer Noteboom gebeld en verteld dat ze ergens over wilde praten. Ze deed expres heel geheimzinnig en vroeg om een discreet gesprek. Er kon wat haar betreft niemand anders bij zijn. Veronique glimlachte naar zichzelf en opende de derde knoop van haar blouse. De twee knopen daar boven waren al open. "Elf jaar lang negeer je me, maar nu kun je niet meer om me heen Noteboom," mompelde ze. Toen ze uitstapte liep ze naar haar kofferbak, deed haar laarzen uit en stak haar pantyvoeten in hoge pumps. Ze drukte pas op de centrale deurvergrendeling toen ze vlakbij het tentje was waar ze met de vader van Patrick had afgesproken. Dit was haar moment.

OP HET BUREAU

Patrick zat in zijn kamer via MSN met Gerard te chatten. Ze hadden het natuurlijk over de actie van Robert die middag in de rokershoek. Het zat Patrick dwars. "Kun je je voorstellen dat we hem bijna in ons groepje hadden gelaten," braakte Patrick. Hij wond er geen doekjes omheen. Robert vertrouwde hij voor geen cent. "Ik deed net alsof ik hem geloofde. Dus niet! Hij spullen bij mij kopen. Dacht het even niet!" schreef hij. Gerard had al helemaal geen goed woord voor Robert over. Hij vond hem een freak en zei dat hij al meteen vanaf het begin vond dat Robert een loser was. "Zulke types redden het niet. Als je liever met die heks omgaat dan met ons dan ben je toch vet dom," blies Gerard over het net. "En dat plakken bij die gestoorde Douwes. Dat is toch lijp." De jongens gingen flink te keer. Hun hele vriendengroep kon de chat volgen. Af en toe reageerde iemand anders ook. "Loser!!! Laden en lossen, die gast." Iemand anders vulde aan: "Doorspoelen die handel."

Er zaten geen meisjes in de groepschat. Dat wilde Patrick niet. Van zijn neef Donnie had hij geleerd dat meisjes gevaarlijk zijn. "Ze kunnen je in de problemen brengen," had hij gezegd. Patrick had op dat moment een beetje verkering met iemand. Hij vertelde het niet aan zijn neef, maar wilde wel weten hoe het zat met gevaarlijke meisjes. Donnie had gezegd dat ze je hoofd op hol brengen en er dan met je geld vandoor gaan. Het was duidelijk dat Donnie geen geluk in de liefde had. Maar, toen Patrick zag hoe Robert tegen hem en zijn maten in opstand kwam om het voor Anna op te nemen, toen begreep hij een beetje wat zijn neef bedoeld moest hebben. Kameraadschap was voor Donnie belangrijker dan meisjes. Aangezien Patrick enorm opkeek naar zijn neef, wilde hij het zelfde. Dus als Donnie het zei dan moest het wel kloppen. Hij had al heel veel meegemaakt. Iedereen zei het.

Patricks ouders wilden dat hij goed zijn best deed op school. Volgens zijn vader had hij de kwaliteiten om hem later op te volgen in zijn advocatenkantoor. Patrick had alleen niet zo'n zin om heel lang naar school te gaan. Niet dat hij dat durfde te zeggen. Vroeger wist hij niet beter, maar sinds hij met Donnie omging zag hij dat je zonder diploma's ook aan geld kon komen. En veel gemakkelijker dan door jarenlang naar school te gaan. Patrick dacht steeds vaker aan spijbelen. Donnie had gezegd dat hij zoveel geld kon verdienen dat hij 'het kantoortje van zijn vader', zoals hij het minachtend noemde, op een dag gemakkelijk zou kunnen kopen. Dat had indruk gemaakt op Patrick. Donnie liet ook altijd zien hoeveel geld hij bij zich had. Hij hield zijn biljetten samen met een clip van goud. Die had hij speciaal laten maken.

Zelfs één van zijn tanden had hij met goud laten omhullen. Dat vond Patrick vet!

Zodra Patrick op zichzelf zou gaan wonen zou hij ook zo'n tand nemen. Van zijn moeder mocht het beslist niet. Zijn vader wist van niks. Patrick zag hem zelden. Hij was altijd maar aan het werk. Vroeger kon hij er verdrietig om worden als zijn vader had beloofd om naar een volleybalwedstrijd te komen kijken en er niet was. De ouders van zijn vrienden hadden ook drukke banen, maar die waren er toch best wel vaak. Patrick was de enige die alleen maar gebracht en opgehaald werd. Zijn moeder had het kennelijk ook ergens druk mee. Gerard werd meestal zelfs alleen maar gebracht. Zo hadden ze elkaar leren kennen. Toen bleek dat ze naar dezelfde school in het voortgezet onderwijs gingen was een hechte vriendschap onvermijdelijk.

Donnie had net als Gerard altijd tijd voor Patrick. Bij wijze van proef had Patrick zijn neef een keer midden in de nacht gebeld. Hij had speciaal zijn wekker ervoor gezet. Donnie had namelijk al een paar keer gezegd dat zijn neefje hem altijd kon bellen. "Dag en nacht," beloofde hij. Patrick was er benieuwd naar of het echt zo was. Donnie had opgenomen! Hij klonk een beetje slaperig, maar hij was er wel voor hem. Patrick stond er versteld van en vergat helemaal wat hij ook al weer zou zeggen. Hij had een goede smoes bedacht van te voren. Patrick vertelde dus maar eerlijk dat hij eigenlijk gewoon zeker wilde weten of Donnie er echt altijd voor hem zou zijn. Die nacht had hij zijn hart gelucht bij zijn neef. Hij had geklaagd over zijn ouders. Hoe ze alleen maar bezig leken te zijn met steeds maar duurdere spullen kopen. Spullen die ze vaak helemaal niet gebruikten. Daarom had Patrick al snel een handeltje opgezet. Ook hij kreeg aan de lopende band dure spullen. Zijn ouders wisten niet wat hij allemaal al had. Soms kreeg hij spullen dubbel.

Nu waren ze weer bezig met een vakantiehuis in Spanje. Iedere keer was er wat. Ze logen ook altijd, want telkens beweerden ze dat de drukte maar tijdelijk was. "Ik reken op je," zei zijn vader dan. Hij bedoelde ermee dat hij erop rekende dat Patrick zijn huiswerk maakte en uit de problemen bleef. Het zijn moeder niet moeilijk maakte. "Als het binnenkort wat rustiger is, dan gaan wij samen op pad. Er is zoveel wat ik je wil laten zien in de wereld." Het was een belofte die nog nooit nagekomen was. "Ik heb het druk met een hele grote zaak," zei hij op de avond dat Patrick het besluit had genomen om zijn neef te testen. Zijn vader keek naar hem van onder wallen die zwaar op zijn ogen drukten en zijn blikveld bijna tot spleetjes minimaliseerde. Patrick begreep eruit dat zijn vader ook dat weekend niet naar zijn volleybalwedstrijd zou komen, hoewel hij een paar dagen daarvoor gezworen had dat hij er dit keer eindelijk bij zou zijn. "Anders eet ik mijn schoenen op," had hij gezegd. Als Patrick naar die schoenen keek, zag hij geen tandafdrukken. Ze hadden nog niet eens twee minuten met elkaar gesproken toen zijn vaders telefoon ook nog eens overging. "Ik moet deze ècht even aannemen." Dat zinnetje kon Patrick niet meer aanhoren. Er bleek geen enkel belletje te zijn wat zijn vader kon laten gaan.

Aan zijn moeder zag hij dat ze verdrietig was. Ze zei nooit iets. Patrick haatte het dat ze zo'n mak schaap was. Hij zou wel eens willen dat ze ruzie zou maken met zijn vader. Zelf durfde hij het ook niet. Sommige van zijn vrienden hadden het soms flink aan de stok met hun ouders. Daar kon hij best jaloers om zijn. Eentje had zelfs een keer 'klootzak' tegen zijn vader gezegd. Dat zou Patrick ook wel eens willen, maar dat durfde hij niet. Zijn moeder had altijd maar een rare glimlach op haar gezicht, terwijl haar ogen hol en leeg waren. De keren dat ze met zijn tweeën zaten te eten en naar een leeg en omgekeerd derde bord zaten te staren waren niet meer te tellen. Ze zuchtte niet eens meer. Als ze klaar waren met eten dan schepte ze voor zijn vader op en zette het bord met een stuk folie eroverheen in de koelkast. "Dan hoeft hij het alleen maar op te warmen. Je vader werkt heel hard voor ons. Je zou hem dankbaarder kunnen zijn." Patrick begreep het niet. Waarom zou hij dankbaar moeten zijn voor verwaarlozing. Patrick wist zeker dat zijn vader de met folie bedekte borden

niet meer gebruikte als hij laat thuis kwam. Soms at hij niks. Maar vaker nog ging hij uit eten.
Op zaterdag hadden zijn ouders tijd voor elkaar. Patrick had zijn moeder met grote ogen aangekeken toen hij haar op een bepaalde toon hoorde praten tegen zijn vader. Het was vroeg in de nacht. Zijn moeder was het zat en begon over zijn eten in de koelkast en dat hij niet eens meer het fatsoen had om af te bellen als hij niet thuis kwam eten. Ze had gezegd: “Als er niet heel snel iets verandert dan wil ik niet meer.” Dat was heftig. Patrick had met kloppend hart zijn oren gespitst. Het was niet eens dat ze haar stem verhief. Het was juist de rust waarmee ze het zei die indruk maakte op Patrick en waarschijnlijk ook op zijn vader. Hij had beloofd dat hij minder in het weekend zou werken. Iedere zaterdag zouden ze samen uit eten gaan en naar het theater, of naar vrienden. Ze waren alleen vergeten dat hij er ook nog was. Niemand had gezegd dat er een dag in de week moest zijn waarop ze ook eens naar zijn volleybalwedstrijden zouden gaan. Donnie zei dat hij zijn neefje zou helpen geld te verdienen. “Dan heb je die ouwe niet meer nodig,” had hij geniepig gezegd. Patrick was er verdrietig om, maar nu niet meer. Als zijn vader geen tijd voor hem had, dan had hij ook geen tijd meer. Die advocatenbusiness kon hem gestolen worden. Wie wil er nou iets worden waarmee je je eigen kinderen pijn doet? Hij kon niet wachten tot hij zestien was. Volgens Donnie kon je dan stoppen met school. Daar had Patrick wel oren naar.

Gerard vroeg zich af hoe ze Robert zouden kunnen pakken. “Douwes houdt ons in de gaten, maar dit kunnen we niet zomaar laten gaan,” opperde hij strijdlustig. Patrick voelde die strijdlust ook. Als het aan hem lag had hij Robert allang teruggepakt. Maar, hij wilde geen ruzie thuis. Patrick had moeten beloven dat hij bij Robert uit de buurt bleef. Zijn vader had zijn arm redelijk stevig vastgepakt toen ze thuis waren. Hij keek moe en teleurgesteld. Zijn preek duurde wel een uur. Zo lang hadden ze nog nooit met elkaar gesproken. Ook toen ging zijn telefoon. Een paar keer zelfs, maar hij had alle oproepen genegeerd. Hij wilde zijn zoon ongestoord duidelijk maken, dat Patrick als zoon van een advocaat en als een Notenboom, een gerespecteerd lid van de maatschappij moest zijn. “Ik kan afgerekend worden op wat jij doet. Het staat me tegen dat je het niet begrijpt.” De woorden van zijn vader gleden langs hem heen. Eigenlijk genoot hij ervan dat hij eindelijk iets met zijn vader deed. Ook al was het een zware berisping in ontvangst nemen. Zijn opslag was bijna onhoudbaar geworden bij volleybal. Als zijn vader dat kon zien, dan zou hij vast trots zijn. Of kwam hij nooit kijken omdat hij zijn zoon liever zag tennissen? Patrick vond daar niks aan. Ze verschilden ook zo enorm van elkaar.

Terwijl Patrick een plannetje met zijn maten probeerde te smeden tegen Robert zat zijn vader met een uitgebluste houding aan een tafeltje te wachten tot Veronique met haar spoedprobleem aankwam. Hij onderdrukte een zoveelste geeuw en wreef over zijn hoofd. Dat hij kalende was vond hij vreselijk. Het enige wat hij van zijn vader had willen overerven was een volle haardos. Verder had hij niks met hem. Pas een week nadat hij overleden was had hij een keer tussen twee afspraken door een bos bloemen die zijn secretaresse had gekocht op het graf gelegd. Hij keek om zich heen, voelde niks en besloot dat het niet voor hem was weggelegd om vrede te vinden op een begraafplaats. "Ha Philip," Veronique stak haar hand uit en keek energiek en fier. Ze priemde haar gehakte hielen in de grond en voelde zich onweerstaanbaar. Philip werd altijd nog vermoeider van haar overdreven gedoe, zoals hij het zag. Zonder op te staan of oogcontact schudde hij haar de hand. "Laten we meteen ter zake komen," zei hij en wenkte een ober. Veronique bestelde een droge witte wijn. Philip wilde een dubbele espresso.

Veronique liet hem vooral zijn eigenwijze en saaie zelf zijn, zoals zij hem zag. Zo zou haar klap nog veel harder aankomen. "Straks mag je me vertellen hoe je jouw dankbaarheid om gaat zetten in een mede-eigenaarschap," dacht Veronique. "Je ziet eruit alsof je ieder moment een beroerte kunt krijgen. Het is tijd voor jong bloed." In stilte wachtten ze op hun drankjes. Ze spitste haar lippen en nam een zuinig slokje van haar wijntje en drukte toen haar wenkbrauwen omlaag. "Goed, Philip. Ik zal inderdaad ter zake komen. Jouw zoon heet toch Patrick?" Philips telefoon ging over. Het was een beller die belangrijk voor hem was. Hij twijfelde even en drukte het gesprek toen toch maar even weg. "Van mij mag je het aannemen, hoor," zei Veronique zo begripvol mogelijk. Ze wist dat Philip dat niet zou doen. Een gevoel van macht en overwicht bekroop haar. Nu had ze zijn volle aandacht. Ze nam nog een slokje van haar wijn en knikte met haar hoofd in de richting van Philips espresso. Hij kromde zijn vingers om het oortje, maar liet het kopje op het schoteltje staan.

"Waarom breng je mijn zoon ter sprake tijdens dit gesprek, Veronique?" Ze had sterk de behoefte om nog even te prikken voordat ze het hele verhaal uit de doeken zou doen. "Nou, Philip, ik heb een super drukke dag. Op dit moment zit ik eigenlijk in een meeting naar aanleiding van de zaak Meesters versus Lodewijks waarin we die..." Philip onderbrak haar. "Ik ken de zaak. Vertel verder over mijn zoon." Hij keek nu streng. Dat was de blik die Veronique nog het meeste van alles aan hem haatte. "Heb je ook een neefje dat Donnie heet?" Philips hand begon te trillen, waardoor er hete koffie over zijn vingers klotste. Hij liet het kopje los en pakte een servetje, depte zijn hand droog en probeerde zo onverstoord mogelijk te kijken, terwijl hij een krampachtig gevoel in zijn borstkas voelde. Zijn grootste angst zou toch niet uitkomen? "Ja, dat klopt. Patrick zit toch niet in de problemen door Donnie?" vroeg Philip. Hoewel hij de wanhoop die opkwam probeerde te remmen was het goed hoorbaar in zijn stem. “Donnie steelt en zet jouw zoon in om die spullen vervolgens te verkopen. Het schijnt op zaterdag te gebeuren als Marianne en jij er niet zijn?” Philip sloeg zijn handen voor zijn gezicht. Veronique keek scherp over de rand van haar wijnglas heen en nam dit keer een royale slok van haar wijn terwijl ze Philips verdriet triomfantelijk in zich opnam.

Els had haar auto geparkeerd en stond op de stoep voor het politiebureau te wachten op Timo en zijn ouders die een klein stukje moesten lopen vanaf hun parkeerplaats. “Het komt goed, jongen,” fluisterde Els en woelde door Roberts krullen. Het was net zeven uur geweest. Robert voelde nu dat hij zijn maaltijd gemist had. “Ik heb honger.” Els opende haar tas en griste erin. “Sorry, lieverd, ik heb niks bij me. Hadden we toch maar wat gegeten, hè. Mijn maag gaat zo ook knorren volgens mij.” Timo’s moeder Connie liep voorop, Timo daarachter en zijn vader helemaal achterop. Hij droeg een grote tas. Daar zat waarschijnlijk de rode Playstation in, dacht Robert. Hij gaf Timo een boks. Ze wisten niet goed wat ze moesten zeggen tegen elkaar. Connie schudde Els haar rechterhand en trok met haar linkerhand haar man dichterbij om hem duidelijk te maken dat hij zich ook even moest voorstellen. “Bij wie moeten we ons melden?” vroeg Connie. Els begon te blozen. “Melden?” vroeg ze. “Ja, met wie hebben we een afspraak?" lichtte Connie toe. Els keek weifelend. Ze had er helemaal niet bij stilgestaan dat ze een afspraak moest maken. "Vroeger kon je gewoon naar binnen lopen. Is dat nu ineens anders?" vroeg ze verbaasd. Connie slikte. "Oh, ik dacht dat u dat al geregeld had. Nou, ja, ze zullen ons vast wel te woord staan." Els schaamde zich een beetje. Ze had iedereen opgetrommeld zonder er bij stil te staan dat je kennelijk alleen op afspraak aangifte kon doen. Als er maar een vrije agent was. Anders moesten ze alsnog naar huis allemaal.

Connie nam vanaf nu het voortouw. Ze liep resoluut naar de schuifdeur toe. Omdat die niet automatisch opende zocht ze met haar ogen langs de gevel. Op dat moment kwamen twee agenten aangereden. Els wees naar hen en zei: "Laten we anders op hun wachten." Connie keek achterom, maar besloot op de bel van de intercom te drukken. "Goedenavond, politie West, met wie heeft u een afspraak?" hoorden ze een blikken stem vragen. Connie omzeilde de vraag. "Wij komen melding maken van gestolen goederen," antwoordde ze. "Een ogenblikje," klonk het weer blikkerig. Connie keek over Els' schouders in de richting van de parkeerplaats en zag dat de twee agenten dichterbij kwamen. Op het moment dat de schuifdeuren opengingen, stapten zij achter het gezelschap aan. Aan de andere kant van de schuifdeur kwam een agent aan met een mobiele telefoon aan zijn oor. Hij begroette zijn collega's met een vrolijke hoofdknik en zei: "Ja, ik heb ze." De agent lachte vriendelijk naar het gezelschap en zei: "U komt melding maken van gestolen goederen? Met wie heeft u een afspraak?" Els schaamde zich weer en riep behoorlijk rood aan. Connie zei kalm dat ze geen afspraak hadden, maar dat ze een hele ernstige situatie wilden melden. Ze greep haar mans arm vast, trok hem naar voren, nam de tas van hem over, opende het naar de agent en keek afkeurend. De agent glimlachte en kneep zijn ogen even samen, terwijl hij Robert en Timo aankeek. "Deze kant op, alstublieft. Ik kijk even of er iemand vrij is. Anders doe ik het zelf wel even." Hij keek ernstig op zijn horloge. Nadat hij hen het kamertje gewezen had waar het gesprek plaats zou vinden, beende hij in de richting van een grote zaal waar allemaal computers stonden. Achter enkele computers zaten agenten. Timo was onder de indruk van de agenten achter de pc's. "Ze hebben volgens mij achter de pc ook een pistool om." Robert knikte. "Ik zag in elk geval handboeien. Zag je trouwens hoe hij naar ons keek?" Timo huiverde even en knikte.

Even later kwam de man terug met een vrouwelijke collega. Ze stelden zich voor. Iedereen kreeg een hand. "Willen jullie iets drinken?" vroeg de dame vriendelijk. Connie antwoordde van niet en zat met haar handtas ferm tegen zich aangedrukt recht voor zich uit te kijken. Timo en zijn vader keken naar de grond. Ze begrepen dat het niet de bedoeling was dat zij wel iets zouden nemen. Els durfde nu ook niets te vragen, hoewel ze best trek had. Robert vroeg of er warme chocolademelk was. Connie keek hem geïrriteerd aan. Hij merkte het niet op. Els wilde zeggen: "Of, doe mij anders ook maar wat," maar de blik van Connie schrok haar af. De kamer was heel kaal. Er stonden geen planten of meubels. Alleen een lange tafel met op het hoekje een computer. Om de tafel stonden stoelen. Robert vroeg zich af waar de cellen waren. "Zijn hier ook gevangenissen?" vroeg hij aan de man die de computer aanzette. "Nee, lachte de man. We hebben hier wel een wapenkluis. Politiecellen hebben we in een ander gebouw."

Timo siste tussen zijn tanden "wapenkluis." Robert sperde zijn ogen en trok zijn wenkbrauwen op. Connie gaf nu ook haar zoon een afkeurende blik. Toen ze zich omdraaide stak Timo zijn tong uit naar Robert. Hij grinnikte even. Els voelde de plicht om Robert ook even streng aan te kijken. Dit was een serieuze zaak. De agente kwam aan en gaf Robert zijn chocolademelk en vroeg aan haar collega: "Heb je 'm ook al van status einde één afgehaald." Niemand begreep wat de agenten daarmee bedoelden. Het deed Robert even denken aan de geheime codetaal die hij met Hugo had toen ze kleiner waren. Hij kneep in zijn eigen been om zichzelf bij de les te houden. Afgeleid worden was wel het laatste wat hij nu kon gebruiken. De deur ging dicht. Nu was het echt.

Connie begon te vertellen. Els wist dat Connie er niet voor hun zat, maar voor haar eigen zoon, dus ze deed haar best om ook haar deel van het verhaal mee te geven. Dat lukte slecht. Ook de jongens kwamen er niet tussen. Connie sprak aan één stuk door. Els raakte geïrriteerd. De agent was geduldig en stelde veel vragen. Na een kwartier zei hij dat hij genoeg gehoord had van Connie. Hij keek vriendelijk, maar zelfverzekerd. Connie perste haar lippen samen. Nu kregen de anderen de tijd om te vertellen en aan te vullen. Ook de rode Playstation kwam op tafel. “Maakt het uit dat onze vingerafdrukken er nu ook op staan?” vroeg Connie. De agenten stelden haar gerust.

“Maar u heeft gelijk mevrouw van Amerongen, dit is inderdaad een ernstige zaak.” Hij keek de anderen aan. “Het is goed dat jullie meteen naar het bureau zijn gekomen. En ook goed van u als ouders om uw kinderen hierbij te begeleiden.” Connie ging nog statiger zitten. “Het lijkt me niet meer dan logisch. Je hebt ook van die mensen die hun kinderen maar laten gaan. Er de controle niet goed ophouden. Wij zitten er bovenop, hè, Gerard,” Timo’s moeder stootte haar man aan. Die knikte slap. “Uw man kon er niet bij zijn?” vroeg de agent aan Els. “Nee, zij is gescheiden,” antwoordde Timo's moeder. Els' ogen spuugden vuur. Als ze van te voren geweten had dat Connie zo'n bazige troel was, dan was ze alleen met Robert naar het bureau gegaan. "Ik ben inderdaad gescheiden," antwoordde ze. De agent excuseerde zich. "Sorry, maar vanwege de ring, dacht ik...." Els keek naar haar hand. Ze had haar trouwring nog om. Connie keek wederom afkeurend en fluisterde iets naar haar man. Els zei verklarend: "Ik krijg 'm niet af. Ja, heel stom. Maar..." Robert vond het vervelend voor zijn moeder. "Het is ook nog niet zo lang geleden," vulde hij aan en legde zijn hand op zijn moeders schouder.

"Nou, we hebben alles wat we voor dit moment nodig hebben. Ik moet jullie vragen om even te blijven wachten terwijl we dit met het Openbaar Ministerie opnemen. We hebben hier in dit gebouw iemand van het OM zitten. Dus, dat kan vrij vlot." De man keek zijn vrouwelijke collega aan en zei: "Ik denk dat dit voor deze jongens snel afgewikkeld kan zijn?" De agente antwoordde niet, maar liep met haar collega de kamer uit. Els wilde eigenlijk heel graag even naar buiten. Haar maag knorde de hele tijd. En de zoveelste afkeurende blik van Connie kon ze niet meer verdragen. Ze was zo vriendelijk aan de telefoon geweest. Maar vanaf het moment dat ze erachter kwam dat Els geen afspraak had gemaakt was ze als een blad aan een boom omgedraaid. Timo verbrak de stilte en zei: "Zullen we even naar buiten lopen?" Connie zei dat het niet de bedoeling was. De jongens keken naar Els. "Zijn we gearresteerd?" vroeg Robert verbaasd. "Nee, dat niet, maar ze vragen niet voor niks of we hier willen blijven wachten. Het zal heus niet zo lang duren. Je hoorde toch wat die man zei. Goed dat jij direct naar me toe bent gekomen, lieverd. Fijn dat jij niets met die spullen te maken hebt." Connie voelde dat deze opmerking voor haar bedoeld was. "Timo van ons is gewoon niet zo hulpbehoevend. Wij hebben hem opgevoed om zelfstandig te zijn. Hè, Gerard." Ze stootte haar man weer aan. "Hij wilde het zelfstandig oplossen. Ja, daar is hij gewoon iets te ver in door gegaan." Ze draaide zich naar haar zoon. "Ik ben heel trots op je. En, jouw vader ook." Gerard liet zich weer aanstoten en knikte slapjes. Timo schaamde zich dood voor het gedrag van zijn moeder.

Even later kwamen de agenten weer terug. Connie ging direct staan en trok haar man ook op zijn benen. De mannelijke agent liep naar Els en Robert die samen bij een raam stonden waar lamellen voor hingen. "Jullie kunnen gaan. Ontzettend bedankt dat u meteen hierheen bent gekomen." Els glimlachte opgelucht. "Zorg ervoor dat je jezelf blijft. Je bent een slimme jongen. Blijf nadenken en laat je niet opjutten, oké." De agent stak breed lachend een hand uit naar Robert en schudde hem de hand. Els en Robert liepen richting de deuropening. Daar stond de vrouwelijke agent. "Ik loop even met jullie mee." Toen ze niet meer binnen gehoorafstand waren zei ze: “Jullie vriend moet nog even blijven.” Ze keek heel vriendelijk terwijl ze het zei. Toch zorgden haar woorden voor een knoop in zijn maag. “Maar, Timo heeft echt niks gedaan. Ik zweer het!” riep Robert. “Je bent een goede vriend. Timo mag heel blij zijn met jou. Maak je geen zorgen. Je ziet hem waarschijnlijk snel weer.” Terwijl de laatste handen werden geschud en de schuifdeur sloot keken Els en Robert elkaar aan. “Wow!” riep Els nu uit. “Dat had ik niet verwacht. Hij zal toch welècht de waarheid verteld hebben?” Robert begon luid te lachen om wat spanning kwijt te raken. “Ik snap het al. Ze willen hem misschien toch iets meer uithoren over Donnie en Patrick omdat hij hun kent. Dat zal het zijn.” Els hoopte het maar voor Timo. Robert ook. Waarom had de agente ‘waarschijnlijk’ gezegd?

TOCH NOG VRIENDEN

Na een hele late boterham met wat draadjesvlees van de vorige dag lag Robert op bed. Els zat op de rand van zijn bed. Dat was zeldzaam. Maar, vandaag was ook een bijzondere dag. "Bedankt dat je dat zei van mijn ring." Robert legde zijn hand op die van zijn moeder. "Waarom heb je 'm eigenlijk nog om, mam?" Els zuchtte. "Tom vroeg het ook de vorige keer. Ik wil 'm ook af doen, maar het lukt echt niet. Mijn ring was al aan de kleine kant toen we onze trouwringen kochten. Ik had het meteen moeten zeggen, maar ik wilde gewoon dat alles in één keer goed was. Vooral omdat mijn vader zo tegen was. Misschien wilde ik hem wel bewijzen dat alles goed zou gaan omdat het gewoon zo moest zijn. Ik weet het niet. Af en toe doe ik ook maar wat, volgens mij." Els zuchtte en probeerde de ring te draaien. "Zie je wat ik bedoel? Of ik ben gewoon aangekomen." Els keek achterom naar haar billen. Robert lachte. "Of, wil je toch op pap wachten?" Els stond op en liep naar zijn bureau. "Nee, Robert. Ik wil niet wachten." Ze hield haar adem in en maakte zich onbewust breed voor een uitbarsting van haar zoon.

"Wist je dat Laura mijn zusje wordt als jij en Tom wat met elkaar krijgen?" Els glimlachte. "Zou je dat willen?" vroeg ze. Robert gooide zijn kussen naar zijn moeder. "Niet overdrijven, oké. Eén die de hele dag d'r haren kamt hier in huis lijkt me meer dan genoeg." Els gooide het kussen terug. "Nou, jij blijft ook steeds langer in de badkamer." Ze kwam dreigend op hem afgelopen. Robert ging staan. "Zo gemakkelijk is het niet meer om mij de kieteldood te geven hoor." Els stak haar handen onschuldig in de lucht en deed twee passen terug. "Zou Timo al thuis zijn?" vroeg ze. "Heb je een 'zepbericht' van hem gehad?" Robert bulderde van het lachen en hikte "Een wat voor bericht?" Els stond verlegen te kijken. "Ja, zo heet het toch?" "Hoe?" vroeg Robert plagerig. Els durfde het niet te herhalen. "Je bedoelt een What's app bericht," loeide Robert. Els liet hem bedaren. "Nee, mam, hikte hij." Toen kalmer: "Nee, ik heb nog niets van hem gehoord. Eigenlijk toch wel raar." Els besloot dat ze allebei aan een goede nachtrust toe waren en kuste haar zoon welterusten. "Goh, we moeten vaker naar het politiebureau," grapte ze, "dan mag ik tenminste gewoon weer in jouw kamer komen." Robert priemde zijn wijsvinger in de lucht: "Wen er maar niet aan, mam." Ze sloot zijn kamerdeur.

Robert keek naar zijn vinger. Het deed hem denken aan de knokige vingers van de heks Sabotatia in zijn droomwereld, Fantasialand. Hij stond op en pakte de tekening van die nacht erbij. "Laat me vandaag met rust," beet hij de heks toe. De dag had veel van Robert gevraagd. Hij wilde gewoon lekker slapen. Zonder gedoe. Met die intentie daalde hij af naar Fantasialand. Daar lag hij nog steeds in de bloemrijke Vallei van Standvastigheid. Anna was nergens te bekennen. Sabotatia ook niet. Hij tuurde de Vallei rond om te zien of er niets verborgen was tussen het kniehoge gras dat hem plotseling zou kunnen bespringen. De kust leek veilig te zijn. Net toen hij zich wilde laten opnemen in het rustige en geurende gras hoorde hij een stem: "Pssst, hierheen. Pssst, hé, hier." Robert keek nog een keer om zich heen. Hij spiedde in de richting van de stem. Het leek te komen uit een veld met wilde klaprozen die als blozende vlinders boven het gras uit wiegden. Robert liep er behoedzaam naartoe. In het veld lagen de nieuwste Dieseltjes opgestapeld. Hoe langer Robert naar de dure spijkerbroeken keek, hoe hoger de stapel werd. Zijn ogen begonnen te glinsteren. Was dit allemaal voor hem? Zonder dat hij er iets voor hoefde te doen. Hij loerde om zich heen. Hier moest Anna natuurlijk achter zitten. Er was niemand. Uit de kelk van een klaproos ontstond plotseling een soort tongetje. Robert vond het er grappig uitzien. Het werd echter heel snel steeds groter en groter. Robert werd nu bang en deinsde achteruit. Zoiets had hij nog nooit gezien. De tong werd ook steeds langer. Toen zette Robert het op een lopen. Maar de tong nam de vorm aan van een lasso en wierp zichzelf om Roberts benen. Hij struikelde, viel voorover en verloor zijn bewustzijn. De tong sleepte hem aan zijn voeten terug naar het veld met klaprozen en zoog hem toen in de bloem waaruit de tong ontstaan was.

In zijn onderbewustzijn rook Robert een bitterzoete geur. Hierdoor kwam hij weer bij kennis. Hij lag op een knalrode grond, in een kamer die helemaal rood was ingericht. Er zaten geen ramen in de kamer. Overal stonden kaarsen. Zelfs het vuur dat aan de lontjes deinde was rood. Robert wreef in zijn ogen. Waar was hij nu weer terecht gekomen? Zijn benen waren loom en zijn ogen drukten zwaar. Hij wilde op het bed gaan liggen dat er heerlijk zacht uitzag. Alleen voelde hij zich niet op zijn gemak. Toch liep hij naar het grote bed. Niet omdat hij het echt wilde, maar omdat zijn voeten vanzelf die kant uit gingen. Ineens werd een vorm zichtbaar onder het dekbed. De vorm werd steeds groter. Het leek wel de vorm van een mens. Roerloos lag het daar, bedekt door een zware rode deken. Robert slikte en kwam dichterbij. Met het zweet onder zijn neus raakte hij voorzichtig het puntje van de deken aan en trok die langzaam weg. Een gezicht. Het was Timo! Zijn mond zat vast getaped. Nu vond Robert zijn moed terug. Hij graaide de deken helemaal weg en zag dat ook de voeten en handen van Timo vastgebonden waren. Met zijn mes bevrijdde hij zijn vriend. “We moeten hier weg!” schreeuwde Timo in paniek. “Als je in dat bed gaat liggen ben je voor altijd verloren. Het bed zal nu boos worden omdat je me eruit gehaald hebt.”

Timo was nog niet uitgesproken of de vloer begon te trillen. Overal kwamen er kleine krimpscheuren in de muren. “De boel gaat instorten," zei Robert. "Waar is de uitgang?" Timo wist het niet. "Ik weet niet eens hoe ik hier gekomen ben. Ik lag gewoon een beetje te luieren in een bloemenveldje en viel in slaap, denk ik. Toen ik wakker werd zag ik een rode Playstation naast me liggen. Die heb ik toen weggegooid. In een prullenbak die op een reuzenbloem leek. Daar kwam toen een soort..." Robert onderbrak hem. "Een tong uit, zeker? Dat was bij mij ook. Iemand probeert ons hierheen te lokken met mooie spullen om ons vervolgens gevangen te houden." De jongens begonnen angstig rond te rennen op zoek naar een verborgen deur, raam of een luik. De muren brokkelden nu heel snel weg. In de vloer kwam een grote scheur die Robert aan de ene kant van de kamer hield en Timo aan de andere kant. Robert stond van angst als aan de grond genageld. Toen zag hij ineens een raam. "Gauw, spring hierheen!" riep hij naar Timo. Maar voordat hij zichzelf in veiligheid kon brengen begon de vloer te kantelen. Uit de scheur in de grond kwam een aanzuigende luchtstroom. De jongens moesten zich heel snel aan iets vastklampen. Robert verloor het zicht op zijn vriend en voelde hoe hij ook langzaam maar zeker zijn grip verloor en bijna in de vloer gezogen werd. Door al het opwaaiende stof kon hij bijna niet ademen. Zijn ogen begonnen te prikken.

Op dat moment schrok Robert bevend wakker en greep direct naar zijn Blackberry. Hij zag een bericht van Timo.

"Ben thuis. Heel verhaal. Morgenochtend kom ik naar de Touwladder. Patrick is echt zuur." Robert haalde opgelucht adem. "Hij heeft het gered," fluisterde hij, terwijl hij met een siddering over zijn rug naar de vloer keek die daar volledig onschuldig vlak lag te zijn. Robert voelde zich snel rustig worden door het bericht van Timo. Hij staarde nog even naar de schaduwen op zijn muur en sloot toen zijn ogen. Vlak nadat hij in slaap viel leek het alsof hij een kus op zijn kruin voelde. Hij glimlachte. Dat moest Els zijn. 's Nachts werd ze altijd een keertje wakker om te plassen. Dan liep ze even haar zoons kamer in. Gewoon om naar hem te kijken en om hem een kus te geven. Op zijn kruin. Dat deed ze al vanaf zijn geboorte.

De volgende ochtend op het schoolplein was iedereen in rep en roer. Gerard vertelde dat Patrick was opgepakt. Iemand had hem zomaar beschuldigd van iets heel ergs. Die persoon was volgens Gerard een vieze, vuile verrader en een leugenaar. Robert stapte samen met Anna nietsvermoedend uit de auto van zijn moeder. Ze hadden de hele weg hand in hand gezeten. Hun verliefdheid voelde na hun eerste ruzie nog heftiger dan het daarvoor al was. Els had Anna onderweg bijgepraat. Robert had gezegd dat Timo ook zonder kleerscheuren uit het avontuur was gerold. Haar ogen waren nog nooit eerder zo groot geweest toen ze het hele verhaal aanhoorde. "Ik voelde me al rot, maar nu voel ik me nog rotter. Zit ik lekker te zeuren tegen je over Laura en over Joyce, heb jij gewoon op het politiebureau gezeten!" Robert liet zijn vriendin begaan die haar schuldgevoel omzette in een overdosis kusjes. Ze konden bijna niet van elkaar af blijven. "Nou, jongens, zo kan het wel weer," glimlachte Els toen ze de twee verliefde tieners afzette. "Houd je hoofd erbij op school, oké," gaf ze nog als advies. Ook gaf ze Robert een briefje mee waarin stond waarom hij niet aan zijn huiswerk was toegekomen. "Vergeet het niet aan jullie conrector te geven, hè," zei ze nog. Terwijl ze haar raam dichtdraaide met een ouderwetse zwengel dacht Robert aan Veronique en haar cabriolet. Hij hoopte dat zijn moeder ook snel weer een baan zou vinden.

Gerard stapte direct op Robert af met zijn vaste kameraden om zich heen. Dit keer stond ook Winston met de gouden tand naast hem en nog wat ouderejaars die in de rookhoek hadden gestaan. "Wij spreken jou in de pauze!" riep hij dreigend. "En denk maar niet dat Douwes je dit keer kan redden." Hij blies zijn sigarettenrook in Roberts gezicht. Robert voelde een wee gevoel in zijn buik van de sigarettengeur en de benauwde adem van Winston. Op dat moment kwam Timo aan die al vanuit de verte zag hoe Robert omsingeld werd door de groep jongens. Els zag het niet, want ze was alweer druk bezig met een andere radiozender zoeken en zich irriteren aan de wallen onder haar ogen. Timo brak door de groep en zei iedereen gedag. Hij gaf Robert een boks en Winston ook. "Wat is er aan de hand?" vroeg hij. Winston zei dat Robert dat in de pauze maar moest uitleggen. "Patrick is gepakt," verklaarde hij. "Als Donnie dit hoort, dan..." Hij maakte een beweging langs zijn strot met zijn wijsvinger alsof hij het met een mes afsneed. Robert slikte even. Hij wist helemaal niet dat Patrick gepakt was. Hij keek naar Timo. Die begreep er ook niets van. "Gepakt? Hoe bedoel je gepakt?" Gerard zei dat hij Patrick 's ochtends ging ophalen om naar school te gaan en dat zijn moeder zei dat Patrick met zijn vader naar het politiebureau was gegaan. Ze waren al de hele nacht weg en nog steeds niet terug. "Weet jij iets over Patrick en Donnie?" vroeg z'n moeder aan me. Ik wist nergens van. Ik heb gisteravond nog met Patrick gechat. Hij zei wel dat zijn pa hem de hele tijd belde. Daarna heb ik hem niet meer gehoord.

Niemand kon weten dat hij of Timo er iets mee te maken hadden, dacht Robert. Ze waren onderweg niemand tegengekomen. Robert had daar heel goed opgelet. Op de parkeerplaats voor het bureau hadden ze ook geen bekenden gezien. Timo deed alsof hij schrok. "Meen je niet, gast?" Hij spuugde in een boogje van zich af. Gerard sprong opzij. "Kijk uit, man." Timo ging verder. "Deze gast was gisteren bij mij. Dus, hij kan er nooit wat mee te maken hebben gehad." Winston stapte dreigend naar Timo en maakte zich nog langer en breder dan hij was. “Sinds wanneer ga jij met deze man om?” vroeg hij. Gerard mengde zich in het gesprek. “Hij heeft je toch gesloopt? Om die domme boom van hem. Ben je bang voor hem, of zo? Of heb je te veel klappen op je hoofd gehad?” Winston keek van Robert naar Timo. “Wat? Hebben jullie gevochten?” Timo begon te lachen. “Het stelde niks voor.” Hij kreeg het gevoel dat hij zich niet zo gemakkelijk uit de situatie kon redden.

De eerste bel ging. “Patrick heeft toch ook met hem gevochten en die waren daarna toch ook weer vrienden?” vroeg Timo. Gerard gilde: “Vrienden? Echt niet! Deze gast is niet te vertrouwen.” Timo bleef kalm. “In ieder geval was hij bij mij. Dus volgens mij moeten jullie iemand anders hebben. Is het niet die irritante buurvrouw geweest die altijd achter haar gordijn de straat in de gaten houdt? Ze heeft toch vaker over Patrick geklaagd?” Dat bleek een schot in de roos. Winston deed een stap achteruit. “Ja, die vrouw is echt hinderlijk. Misschien was zij het dan wel die hem verlinkt heeft.” Robert keek Timo dankbaar aan. Winston keek naar Gerard die zich heel moedig voelde met hem erbij. Anders had hij Timo nooit zo uitdagend aan durven spreken. “Zag je die vrouw toen je Patrick vanochtend ging ophalen?” vroeg Winston. Gerard keek schuin omhoog. “Ja, ze was wel voor het raam. Ze keek de hele tijd naar me. Meestal blijft ze achter haar gordijnen, maar dit keer keek ze door een spleet in de gordijnen naar me. Dat was wel raar." Winston knikte en gaf Timo een boks. Hij keek Robert aan. Het leek erop dat hij hem ook een boks zou geven. In plaats daarvan zei hij: "Het is beter dat je je met je eigen vrienden bemoeit. Gewoon voor de zekerheid."

Charlotte, één van de conciërges, kwam naar buiten gelopen en keek streng naar de tieners die nog geen enkele beweging richting de draaihekjes gemaakt hadden. Langzaam viel de groep uiteen en haastte iedereen zich naar zijn leslokaal. Anna kneep in Roberts hand. "Dat was echt heel eng. Zag je die Winston. Daar moet je echt geen ruzie mee krijgen. Dat lijkt me iemand die ook net als Donnie is. Ze zijn toch allebei buitenlands? Volgens Joyce zijn die vaak crimineel. Denk je dat het waar is?" Robert haalde zijn schouders op. "Dat is toch racistisch als je dat denkt?" Anna knikte. "Ja, dat zei ik ook tegen haar. Ze is zelf trouwens ook buitenlands. Half. Haar moeder komt uit Polen." Robert lachte. "Nou, dan moet ze helemaal haar mond houden." Tijdens de les dacht hij aan zijn wiskundeleraar, meneer Dominguez. Die was ook buitenlands. Hij was zeker niet crimineel. Eerder een nerd. Of Shirley. Die was vervelend misschien, maar ook zeker niet crimineel. Nee, Robert geloofde niet dat het zo werkte.

Donnie was trouwens sowieso niet buitenlands. Die bleek Donald Notenboom te heten. Hij wilde Donnie genoemd worden door zijn vrienden. “Donnie is gewoon Nederlands, trouwens,” fluisterde Robert naar Anna. Toen liet hij het los en probeerde zich zo goed mogelijk op de les te concentreren. Laura keek telkens in de richting van Anna. Anna keek niet terug. Het enige voordeel van het opstootje die ochtend op het schoolplein was dat er helemaal geen gelegenheid was om Laura te spreken. Anna had geen zin in haar. Timo had Laura niets verteld over wat er was gebeurd. ’s Ochtends had hij Robert een appje gestuurd met de vraag niks aan Anna te vertellen. Robert was het ook niet van plan. Els begon er alleen over. En, toen ze eenmaal aan het vertellen was, kon Robert ook niets anders dan mee doen. Hij had nog wel snel kans gezien om Anna in het oor te fluisteren dat ze er niks over mocht zeggen. Het politieonderzoek tegen Patrick en Donnie was nog in volle gang. Anna had haar lippen denkbeeldig op slot gedraaid en hem een kus gegeven. Robert wist dat Anna te vertrouwen was. Desondanks voegde hij er nog even aan toe “En, vooral niet tegen Laura. Anna had gezegd dat ze niet meer zo close waren. Daar keek Robert van op. Hij kon er niks over vragen, want toen stonden die jongens ineens om hen heen.

In de pauze was Anna stil. Laura bleef een beetje op afstand met Isabelle. “We moeten ze even de kans geven om weer tot elkaar te komen,” had Laura gezegd. Isabelle was nu ook op de hoogte van de ruzie. Ze vond het heel erg. “Hebben we net nieuwe vrienden, komt er nu alweer ruzie," had Isabelle bezorgd gezegd. "Ik hoop dat het snel weer goed komt." Laura zwaaide uit de verte met ingehouden adem. Robert zwaaide terug. Na een paar tellen zwaaide Anna ook terug. Isabelle besloot ook te zwaaien. "Kijkt ze nou verdrietig?" vroeg Isabelle. "Ja, wat denk je," blies Laura, "als jij ruzie zou hebben met jouw vriendje, zou je ook niet blij zijn." Laura vertelde alles wat ze ooit gelezen had in haar magazines over ruzies tussen geliefden. Isabelle luisterde aandachtig. Ze vond het altijd zo knap van Laura dat die zoveel wist van verliefd zijn en alles wat erbij kwam kijken. Zelf had ze voor het eerst een vriendje. Alle tips waren voor haar dus meer dan welkom.

Robert vroeg waarom Anna zo stil was. "Ik heb iets doms gedaan," biechtte ze op. "Nu ben ik bang hoe je gaat reageren, maar ik moet het toch aan je vertellen." Robert slikte even. Waarom was het toch altijd zo dat hij net van de ene schrik bekomen was en de andere zich alweer aandiende. Om zichzelf even de tijd te geven zich klaar te maken voor slecht nieuws, stelde hij voor om naar de vierkante stenen te lopen. Anna bleef staan. Robert wilde liever zitten. "Wat is er gebeurd?" vroeg Robert. "Iets met Laura?" Anna zuchtte: "Ja en nee, eigenlijk." Ze had het heel zwaar. "Het spijt me echt Robert. Het is echt super stom." Robert hield het niet meer. "Zeg het nou," bedelde hij gespannen. "Ik wilde jou jaloers maken. Het slaat echt helemaal nergens op." Anna deed haar uiterste best om voldoende moed te verzamelen om haar daad op te biechten. Robert staarde naar zijn schoenen. Toen snapte hij het ineens. "Dat sms'je?" vroeg hij. Anna knikte. Een traan rolde over haar wang.

Robert ging nu ook staan. "Maar waarom wilde je me dan jaloers maken?" Anna haalde haar schouders op. "Ik weet het niet. We hadden ruzie gehad en Laura deed heel gemeen en je nam de hele tijd niet op. En ik mocht niet naar je toe van Joyce. Ik werd helemaal gek in die kamer. Dus, ik wilde jou uitlokken om mij te bellen. Ik had nog een website bij mijn favorieten staan waar ik vroeger sms'jes mee verstuurde. Die site deed het nog. Dus, ik hoopte dat je me dan zou bellen. Maar, het was echt stom, want je kunt dat nummer volgens mij helemaal niet terugbellen. Toch?" Robert keek zijn prachtige vriendin aan. Ze keek zo schuldig en verdrietig dat hij ook niet boos kon zijn. Hij was eigenlijk allang blij dat het niet waar was wat in het bericht had gestaan. "Had je me geprobeerd te bellen? Vroeg Anna. Ze keek hoopvol. Robert loog en zei dat hij het telefoonnummer had geprobeerd. "Waarom?" vroeg Anna. Ze hield haar adem in en keek Robert verwachtingsvol aan. "Ik wilde de persoon die mij die leugen stuurde flink de waarheid zeggen, maar ik kreeg geen verbinding." Anna keek zo blij en opgelucht dat Robert zich niet schuldig voelde over zijn leugen. "Maar ja, nu denkt

Timo misschien dat je weer iets met hem wil. Waarom heb je hem eigenlijk een bericht gestuurd." Nu keek Robert Anna verwachtingsvol aan. Ze liet haar hoofd weer zakken. "Ik hoopte dat hij jou het bericht zou laten zien en dat je dan echt héél jaloers zou zijn. Stom, hè?" Robert antwoordde: "Heel stom. Wil je zoiets nooit meer doen?" Anna stapte in Roberts open armen en ze omhelsden en kusten elkaar. "Wel lief dat je probeerde te bellen," zei Anna terwijl ze Robert nog steviger tegen zich aandrukte.

Isabelle en Laura hielden van een afstandje alles in de gaten. "Aaah, kijk nou," zei Isabelle terwijl ze haar hoofd schuin hield. "Kom we gaan naar ze toe." En weg liep ze. Laura kon niet achterblijven en liep mee. Ze zette haar meest stralende glimlach op. "Leuk dat jullie weer bij elkaar zijn," lachte ze. "Ik wist het wel." Anna was nog niet overtuigd. Isabelle gaf haar een knuffel. Laura wilde ook nu niet achterblijven. Anna weifelde even, maar gaf Laura toch ook maar een knuffel. Ze wilde ermee laten zien dat ze het heel goed kon hebben dat Laura nu wat met Timo had. Zelf was ze heel blij met haar eigen vriendje. Ze kneep in Roberts bovenarm en vroeg terwijl ze haar vriendinnen aankeek of hij soms getraind had. Robert reageerde verrast. "Kun je het al een beetje zien?" vroeg hij met een hele brede glimlach. Isabelle en Laura lieten zich uitnodigen om hun meest bewonderende blikken op te zetten en te bevestigen dat het echt heel goed zichtbaar was. De complimenten deden Robert goed. "Als we dit weekend weer afspreken, dan doe ik misschien ook wel mee aan de bodybuildersshow," grapte hij.

"Hoe zit het met Terence. Hebben jullie al een *blind date* voor hem? Laura pakte meteen haar HTC erbij en liet de foto zien van het meisje dat Terence graag wilde ontmoeten. "Ze zei echt 'graag' erbij, hè" zei Laura terwijl ze trots keek. Het was haar maar mooi gelukt om een vriendinnetje voor de Neanderthaler te vinden, zoals ze hem nog steeds noemde als ze met de meiden alleen was. Robert knikte geamuseerd. "Daar zal hij echt blij mee zijn." Anna wilde weten bij wie ze zouden afspreken. "Hugo vroeg het ook. Hij had al een paar tweets gestuurd," liet Robert weten. Bij het horen van de naam van haar liefje begon Isabelle te stralen. "Ik heb het dus thuis gevraagd hè, en mijn ouders willen jullie heel graag ontmoeten. Ze vinden het hartstikke leuk dat ik vrienden heb. Ik was echt zenuwachtig toen ik het vroeg. Maar ze reageerden zo relaxed." Anna keek hopeloos. "Ik zou ook wel relaxte ouders willen." Laura fronste. "Jouw vader is echt super relaxed." Anna zuchtte. "Ja, hij wel. Maar die Joyce Ik wordt echt helemaal gek van haar." De meiden stonden in een halve kring om Anna heen en luisterden aandachtig naar haar geklaag.

Robert maakte van de gelegenheid gebruik om Hugo te

berichten dat hij intussen op de hoogte was dat ze bij Isabelle zouden afspreken. Toen appte hij Timo. Die belde meteen terug. “Mijn les begint al bijna. Vandaar dat ik even bel, gast. Alles goed? Ik probeer Laura te bellen, maar ze neemt niet op.” Robert vroeg aan Laura of haar telefoon nog op stil stond. Ze sloeg verschrikt haar hand voor haar mond. Ze had zich zo op Anna en Robert gericht dat ze helemaal vergeten was om na de les haar telefoon aan te zetten en Timo te bellen. Ze was ook zo bezig om de nieuwe aanwinst voor Terence te laten zien dat het haar niet eens was opgevallen dat haar telefoon een hoorntje met een streep erdoor in beeld had. “Timo zegt dat je mooi bent,” gaf Robert door. “Ze glimt zeker?” verifieerde Timo. “Ja,” liet Robert weten. “Ik heb altijd zin in het weekend, maar dit keer kan ik gewoon echt niet wachten man.” Hugo wil een diss competitie houden. Dat wordt vet!” De dames stonden nu om Robert heen en lachten hem toe. Ook zij hadden enorm veel zin in het weekend. Ze zouden een ontspannen weekend ook goed kunnen gebruiken. Want Timo en Robert stond een spannende week te wachten. Ze zouden geconfronteerd gaan worden met de gevolgen van hun bekentenissen tegen Donnie en Patrick bij de politie.

Brenda Brouwer Fotografie

OVER DE SCHRIJFSTER

Merlien Welzijn is auteur van de in beperkte kring verschenen autobiografie 'de Blauwe Boom.'
In het dagelijks leven is Merlien moeder van Zariene en Romani. Samen met Mario, haar partner en vader van hun kinderen, wonen zij in de wereldbruggenstad Rotterdam.
Merlien studeerde Engelse Taal en Letterkunde aan de universiteit van Leiden. Zij werkte als leidinggevende bij enkele telecommunicatiebedrijven. Daarna maakte zij de overstap naar woningcorporaties, waar zij ook diverse leidinggevende functies bekleedde. Na een dubbele burnout hervond zij haar passie voor woorden.

Met '**V**ery **I**mportant **P**uber' heeft Merlien Welzijn de ambitie om een jeugdboekenreeks te schrijven. Elk deel moet echter ook op zichzelf staand gelezen kunnen worden. Telkens beschrijft de auteur een hectische week uit het leven van de dertienjarige, hoogsensitieve Robert.

Twitter: @VIPuber
Website: http://www.veryimportantpuber.nl
email: info@veryimportantpuber.nl

Lees ook deel 1, 2 en 3 uit de serie **V**ery **I**mportant **P**uber.

isbn 9789461850263
9789461850294 (ebook)

Deel 1 - *Tijd voor nieuwe vrienden*

De dertienjarige Robert is boos omdat zijn ouders gescheiden zijn. Zijn vader besluit ook nog eens met zijn nieuwe vriendin op wereldreis te gaan. Door de verhuizing is Robert zijn beste vriend kwijtgeraakt. Als die maatjes besluit te worden met Roberts oude pestkop voelt hij zich verraden. Op zijn nieuwe school wil hij vrienden maken. Maar wie kan hij vertrouwen? Robert ontmoet de eigenzinnige Anna, een meisje dat als de freak bekend staat en niet erg populair is. Is het wel cool om met haar om te gaan? Waarom doet ze zo raar? Als het Robert te veel wordt, vlucht hij in het gamen en in zijn dromen. Hij vraagt zich af of zijn leven wel normaal is. En, of hij wel normaal is.

isbn 9789461850270
9789461850300 (ebook)

Deel 2 - *Blijf van mijn vriendin af*

Robert maakt het nodige mee op het gebied van vriendschap en liefde. Roberts vader lijkt opnieuw verliefd te worden op zijn moeder. En Timo, het ex-vriendje van Roberts vriendin Anna, verschijnt weer in haar leven. Anna twijfelt daardoor over haar verkering met Robert. Ook heeft Timo's neef Polle duidelijk een oogje op haar. De pestkoppen Patrick en zijn vrienden houden zich dit keer gelukkig op de achtergrond. Dan ontdekt Robert dat het hart dat Anna en hij in een boom gekerfd hebben is vernield. Nu kan ruzie met zijn rivalen niet uitblijven. Komt er dan nooit rust in het leven van Robert?

ISBN 9789461850393
9789461850409 (ebook)

Deel 3 - *Mijn moeder heeft een date...*

De dertienjarige Robert hoopt dat zijn gescheiden ouders weer bij elkaar komen. Zijn vader is op wereldreis. Robert baalt enorm als zijn moeder gaat daten met een andere man. Tot overmaat van ramp trekt zijn vriendin Anna de laatste tijd veel op met klasgenootje Laura die alleen maar met glitter en glamour bezig lijkt te zijn. Robert snapt niet wat Anna leuk vindt aan Laura. Maar dan komt hij Timo tegen, een oudere gast met wie hij gevochten heeft. Die levert het bewijs dat het 'schuurhandeltje' van Roberts aartsvijand Patrick toch niet zo onschuldig is als het in eerste instantie leek. Hoe zal dat aflopen? En hoe zit het met de game rematch die Robert en zijn vrienden afgesproken hebben?